Farshore

First published in Great Britain 2021 by Farshore
An imprint of HarperCollins*Publishers*
1 London Bridge Street, London SE1 9GF
www.farshore.co.uk

HarperCollins*Publishers*
Macken House, 39/40 Mayor Street Upper,
Dublin 1, D01 C9W8, Ireland

Written by Thomas McBrien
Designed by John Stuckey
Illustrations by Ryan Marsh
Production by Laura Grundy
Special thanks to Sherin Kwan, Alex Wiltshire, Kelsey Howard and Milo Bengtsson

This book is an original creation by Farshore

MOJANG
STUDIOS

Tytuł oryginału: *Minecraft. Creative Handbook*
© for the Polish edition by HarperCollins Polska Sp. z o.o., Warszawa 2021
Wszystkie prawa zastrzeżone, łącznie z prawem reprodukcji części lub całości dzieł w jakiejkolwiek formie.
HarperCollins jest zastrzeżonym znakiem należącym do HarperCollins Publishers, LLC.
Nazwa i znak nie mogą być wykorzystane bez zgody właściciela.
Tłumaczenie: Anna Hikiert
Redaktor prowadzący: Roma Król
Redakcja: Rafał Sarna. Korekta: Katarzyna Sarna
Redakcja techniczna: Ewa Jurecka
Skład: EKART
Wydanie pierwsze, Warszawa 2021
HarperCollins Polska Sp. z o.o.
ul. Domaniewska 34A, 02-672 Warszawa
ISBN 978-83-276-6899-8
Druk: Włochy
ID: HC21GLO0156-10

RADY DLA MŁODYCH FANÓW DOTYCZĄCE BEZPIECZEŃSTWA
Czas spędzony w sieci to świetna zabawa! Oto parę prostych zasad, dzięki którym młodsi fani
będą bezpieczni podczas gry,
a internet stanie się doskonałym źródłem rozrywki:
— Nigdy nie podawaj swojego prawdziwego nazwiska — nie używaj go nawet jako nazwy użytkownika.
— Nigdy nie zdradzaj nikomu żadnych danych osobowych.
— Nigdy nie mów nikomu, ile masz lat ani do której szkoły chodzisz.
— Nigdy nie podawaj nikomu — oprócz rodzica czy opiekuna — swojego hasła.
— Pamiętaj, że aby założyć konto na niektórych stronach, musisz mieć ukończone 13 lat.
Zawsze czytaj regulamin strony, a zanim się zarejestrujesz, zapytaj o zgodę rodzica lub opiekuna.
— Jeśli coś cię zaniepokoi, zawsze informuj rodzica lub opiekuna.
Bądź bezpieczny w sieci. Wszystkie adresy www wymienione w tej książce były aktualne
w chwili oddawania jej do druku.

Wydawnictwo HarperCollins nie odpowiada jednak za treści udostępniane przez osoby trzecie.
Proszę pamiętać, że treści online mogą być modyfikowane, a strony internetowe — zawierać treści
nieodpowiednie dla dzieci. Zalecamy, aby dzieci korzystały z internetu pod nadzorem dorosłych.

Wydawnictwo HarperCollins poważnie podchodzi do kwestii świadomości ekologicznej oraz dbałości
o środowisko. Papier, na którym są drukowane nasze książki, pochodzi z zarządzanych odpowiedzialnie lasów
i od sprawdzonych dostawców.

MINECRAFT

PODRĘCZNIK KREATYWNOŚCI

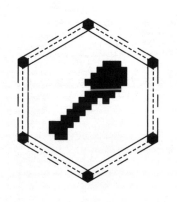

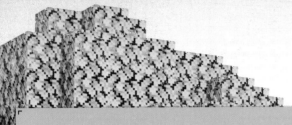

SPIS TREŚCI

WITAJ!

To dla nas prawdziwy zaszczyt, że sięgnąłeś po *Podręcznik kreatywności* Minecrafta!

Minecraft to gra, w której możesz robić wiele wspaniałych rzeczy: przeżywać fantastyczne przygody, wymyślać niesamowite wynalazki, bawić się z przyjaciółmi... a także, oczywiście, budować. Stworzyliśmy nawet specjalny tryb, w którym możesz puścić wodze wyobraźni!

Od czasu do czasu każdy potrzebuje jednak paru wskazówek, które wesprą jego kreatywność — czy to w formie nowych technik, czy też inspiracji. Takie właśnie jest zadanie tej książki — pełnej rad, sugestii, podpowiedzi i trików.

Na kolejnych stronach znajdziesz mnóstwo cennych informacji prosto od specjalistów. Niezależnie od tego, czy jesteś początkującym graczem, dopiero zaczynającym swoją przygodę, czy też doświadczonym budowniczym, szukającym nowych wyzwań, znajdziesz tu z pewnością coś dla siebie.

Podzieliliśmy tę książkę na trzy części. W pierwszej przybliżymy ci tryb kreatywny i przedstawimy najważniejsze zasady budowania. Następnie przyjrzymy się różnym technikom budowlanym oraz pokażemy, jak łączyć bloki, aby uzyskać niesamowite efekty. Na końcu zaś zaprezentujemy, jak wykorzystać nowo nabyte umiejętności w budowaniu niesamowitych konstrukcji.

DO DZIEŁA!

TRYB KREATYWNY DLA POCZĄTKUJĄCYCH

Minecraft to gra, w której wszystko jest możliwe. Stawianie pierwszych kroków w Świecie Podstawowym może być trudne, poświęć więc chwilę na zapoznanie się z podstawami gry. W tej książce znajdziesz wszystkie przydatne informacje: od opisu bloków budowlanych, z których możesz korzystać, aż po przydatne rady, dzięki którym stworzysz pierwsze budowle.

Zaczynajmy!

CZYM JEST TRYB KREATYWNY?

DLACZEGO WARTO WYBRAĆ TRYB KREATYWNY?

1 SWOBODNY LOT
Tryb kreatywny zapewnia scałkowitą swobodę ruchu. Aby latać, kliknij dwukrotnie klawisz skoku. Używaj klawiszy skoku i skradania się, aby przemieszczać się wyżej lub niżej.

2 BŁYSKAWICZNE WYDOBYWANIE
Możesz niszczyć bloki jednym kliknięciem. Możliwość szybkiego wydobywania oszczędzi ci czasu i pozwoli budować sprawniej!

3 PASYWNE MOBY
Wrogie moby są pasywne w trybie kreatywnym, więc nie musisz się od nich opędzać ani bać się, że creeper zniszczy twoje dzieła.

4 BEZ GŁODU
Brak pasków życia i głodu oznacza, że nie trzeba się martwić zdobywaniem pożywienia ani snem.

W trybie kreatywnym gracze mogą swobodnie wznosić konstrukcje dzięki niewyczerpanemu źródłu bloków i przedmiotów. Można również szybko usuwać lub zamieniać wybrane bloki. Gra w tym trybie pozbawiona jest aspektów przetrwania, takich jak głód czy rany, więc masz nieograniczone pole do popisu.

KREATYWNY EKWIPUNEK

Ekwipunek w trybie kreatywnym zapewnia ci łatwy dostęp do wszystkich bloków. Użyj paska wyszukiwania, aby znaleźć dany blok lub przejrzyj dziewięć przydatnych zakładek.

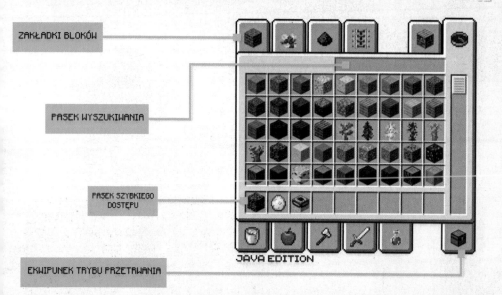

ZAKŁADKI BLOKÓW

PASEK WYSZUKIWANIA

PASEK SZYBKIEGO DOSTĘPU

JAVA EDITION

EKWIPUNEK TRYBU PRZETRWANIA

BLOKI I PRZEDMIOTY DOSTĘPNE TYLKO W TRYBIE KREATYWNYM

Niektóre bloki są dostępne tylko w trybie kreatywnym — w trybie przetrwania nie można ich stworzyć! To między innymi jaja przyzywające, rama portalu Kresu i inne.

JAJA PRZYZYWAJĄCE

Użyj ich, aby przywołać moba.

RAMA PORTALU KRESU

Stwórz własną bramę do Kresu.

KROK PO KROKU

> ## ZACZYNAMY
> Wybór konstrukcji, którą zbudujesz, może być trudny, ponieważ możesz stworzyć, co tylko zechcesz! Dzieląc proces na etapy, zrobisz błyskawiczne postępy.

ETAP 1: PLANOWANIE

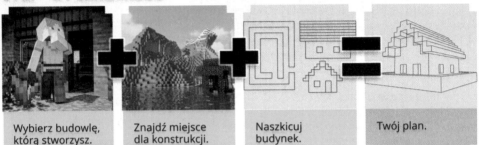

Wybierz budowlę, którą stworzysz.

Znajdź miejsce dla konstrukcji.

Naszkicuj budynek.

Twój plan.

ETAP: KONSTRUKCJA

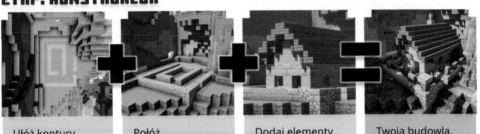

Ułóż kontury budynku.

Połóż fundamenty.

Dodaj elementy konstrukcyjne.

Twoja budowla.

ETAP 3: DETALE

Dodaj wewnątrz światło.

Stwórz unikatowe meble.

Zadbaj o elementy ozdobne.

Gotowy budynek.

Ekspertem nie zostaje się w ciągu jednego dnia! Proces ten wymaga cierpliwości, praktyki i namysłu. Dzielenie projektów na proste, łatwe do zrealizowania etapy w mgnieniu oka poprawi twoje rezultaty! Aby zacząć przygodę z budowaniem, zapoznaj się z naszymi wskazówkami. Nie spiesz się — baw się swoimi projektami!

NAJCZĘSTSZE PROBLEMY

Pomyłki to nieodłączny element gry — stworzenie wiekopomnego dzieła wymaga czasu! Staraj się nie powtórzyć poniższych błędów, często popełnianych przez początkujących.

Twórz budowle rozsądnej wielkości. Zacznij od czegoś małego, a potem zwiększaj skalę.

Postaw raczej na prostotę, na przykład na trzy rodzaje bloków!

Trzymaj się pierwotnej koncepcji. Nie zmieniaj zdania w połowie pracy!

DOBRA RADA

Pierwszą zasadą budowania jest posiadanie planu awaryjnego. Jeśli nie jesteś pewien, czy zdołasz zrealizować swój pomysł, przygotuj sobie plan B, abyś mógł zacząć jeszcze raz. Przejdź do menu, wybierz świat, kliknij „Edytuj" i znajdź opcję „Skopiuj świat".

Nie używaj do budowania TNT. To szybki, choć zabawny sposób na zniweczenie całej twojej ciężkiej pracy.

RODZAJE BLOKÓW

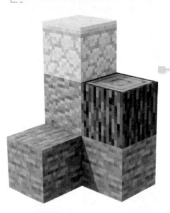

ZWYKŁE

To najprostsza forma bloków. Generują się naturalnie i można je znaleźć w różnych biomach.

ULEPSZONE

Wiele bloków można ulepszyć, tworząc ich odmiany: rzeźbione, gładkie czy zamszone. Mają te same właściwości co ich zwykłe wersje, ale bardziej szczegółową teksturę.

UKSZTAŁTOWANE

Zwykłe i ulepszone bloki można zmieniać w ukształtowane, takie jak schody, półbloki czy murki. Z tych elementów świetnie tworzy się detale konstrukcji.

W Minecrafcie istnieje ponad 600 rodzajów bloków: od drewnianych desek
i kamiennych cegieł aż po miedziane schody czy przekaźniki. To mnóstwo
elementów do świetnej zabawy! Można je podzielić na cztery główne
kategorie. Przyjrzyjmy się teraz różnym ich rodzajom.

BLOKI SPECJALNE

Oprócz podstawowych istnieje szereg bloków o specjalnych funkcjach. Można je
podzielić na trzy kategorie: interaktywne, czerwone i aktywujące.

BLOKI INTERAKTYWNE

Aktywowane bloki
interaktywne pełnią
różne funkcję: na przykład
drzwi otwierają się
i zamykają, tłoki
popychają i przyciągają
itp. Umieszczając je
w grze, będziesz się mógł
dowiedzieć nieco więcej
o ich właściwościach.

BLOKI CZERWONE

Bloki będące pochodnymi
czerwonego kamienia można
wykorzystywać do tworzenia
obwodów i mechanizmów.
Korzystanie z czerwonego
kamienia może być nieco
trudne, więc zacznij od
czegoś prostego i przetestuj
różne bloki, aby zbudować
własny obwód.

BLOKI AKTYWUJĄCE

Bloki aktywujące
uruchamiają bloki
interaktywne i obwody
czerwonego kamienia.
Są bardzo przydatne do
aktywowania na przykład
oświetlenia albo drzwi.
Do najpopularniejszych
należą dźwignie oraz
przyciski.

POZNAJ BLOKI

STAROŻYTNY EGIPT

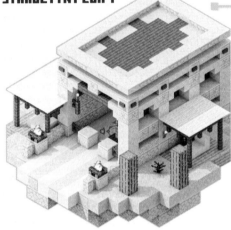

- Piaskowiec
- Biała wełna
- Gładki kwarc
- Glazurowana terakota
- Akacjowe płoty

- Tropikalne deski
- Ciemny dąb
- Ognisko
- Świerkowe klapy
- Świerkowe deski

DZIKI ZACHÓD

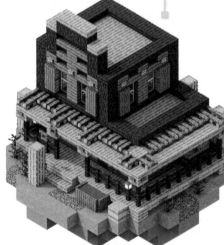

STYL PIEKIELNY

- Wypolerowany bazalt
- Wypolerowany czernit
- Magma
- Netherrack
- Lamentorośl

Stylizacja to świetny sposób na sprawienie, by konstrukcja się wyróżniała. Łącząc starannie dobrane bloki, możesz tworzyć własne, spersonalizowane style. Jeśli szukasz inspiracji, zerknij poniżej. W każdym ze stylów wykorzystano pięć rodzajów bloków, aby osiągnąć pożądany efekt.

STEAMPUNK

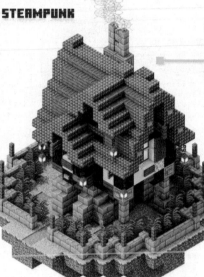

- Ciemny pryzmaryn
- Świerkowe deski
- Kamienne cegły
- Biały beton
- Świerkowe drewno

- Dębowe schody
- Dębowa klapa
- Zamszony bruk
- Bruk
- Świerki

LEŚNY

INDUSTRIALNY

- Bloki żelaza
- Żelazne kraty
- Wypolerowany andezyt
- Kamienne cegły
- Andezyt

DOBÓR BLOKÓW

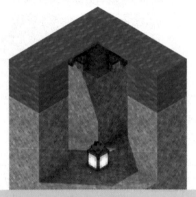

PROSTE KOLORY

Najprostszy schemat kolorystyczny uzyskasz, używając sąsiadujących ze sobą na skali barw dwóch do trzech bloków. Mogą one być nawet w odcieniach tego samego koloru – taki układ jest nazywany analogowym.

BARWY DOPEŁNIAJĄCE

Wybierając bloki w kolorach kontrastowych, uzyskasz bardzo ciekawy efekt. Poniżej znajdziesz barwy dopełniające: na przykład pomarańczowa i turkusowa.

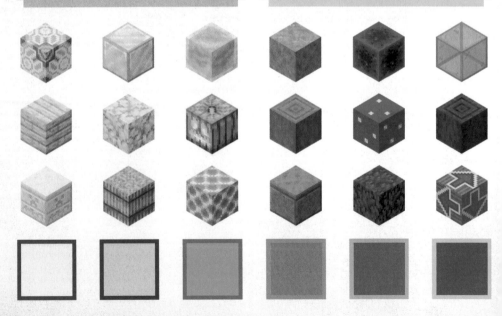

Wiedza o tym, jak dobierać bloki w zależności od stylistyki, jest bardzo cenna — to one decydują o wyglądzie i charakterze projektu. Zanim rozpoczniesz nowy projekt, poświęć więc chwilę, aby wybrać bloki, które będą stanowiły trzon budowli. Wytypuj układy barw... i do dzieła!

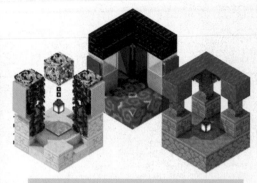

PEŁNA PALETA BARW

Większe budowle nabiorą charakteru dzięki wykorzystaniu kilku kolorów. Stwórz paletę barw, wybierając różne bloki rozmieszczone grupami w tabeli barw. To urozmaici wygląd budynku.

WARIANTY TEKSTUR

W każdym układzie kolorystycznym możesz dobierać bloki w różnych wariantach. Gdy już zdecydujesz się na paletę barw, włącz do niej bloki o odmiennych teksturach – to rozwiązanie pozwalające przełamać nudę.

BARWA DOPEŁNIAJĄCA

POZNAJ STYLE z JERACRAFT

"Gdy wyobrażam sobie budowle elfów, myślę o więzi łączącej je z naturą. W mojej wyobraźni elfy szczycą się swoimi ponadczasowymi dziełami".

"Chciałem, żeby ta budowla była naprawdę niezwykła, postanowiłem więc stworzyć nowoczesny elficki dom. Starałem się w miarę możliwości unikać bloków drewnianych, zamiast tego wybierając bruk, glinę, beton i wełnę, aby odtworzyć harmonijne kształty rodem ze świata natury".

"Gdy stworzyłem z bruku szkielet konstrukcji, wypełniłem go szeregiem barwnych bloków, a następnie dodałem detale, wykorzystując schody i półbloki, eteryczne latarenki i łańcuchy, aby nadać całości fantastyczny styl".

"Ten styl umożliwia stworzenie budowli o bardzo naturalnym charakterze, wtapiającej się w otoczenie dzięki organicznym kształtom, użyciu roślin, a także drzew".

Poprosiliśmy gracza o imieniu Jeracraft, aby opowiedział nam o swoich pracach. Na YouTube prezentuje on konstrukcje, które oczarowały miliony fanów. Mistrz Jeracraft podzielił się z nami elficką budowlą, którą opisuje jako zainspirowaną „harmonijnymi kształtami ze świata natury".

Zrobiony ze schodów dach ma naturalny i nieco surowy wygląd.

Ten budynek został przeniesiony wprost z dzikiego otoczenia i dopasowany do miejskiego krajobrazu. Zawiłe, a jednocześnie harmonijne kształty dachu i łuków nawiązują do stylu elfickiego.

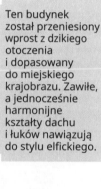

Chociaż jest nowoczesny, dom musiał posiadać też elementy nawiązujące do natury. Jeśli dobrze się przyjrzysz, dostrzeżesz tu i ówdzie rośliny oraz zamszone bloki.

Budowla została wzniesiona z pięciu rodzajów bloków. W ścianach i dachu wykorzystano też kilka ich wariantów.

EFEKTY I OŚWIETLENIE

POZIOMY ŚWIATŁA

Źródła światła w Minecrafcie to bloki dające oświetlenie o 15 różnych poziomach. Aby uniemożliwić mobom spawnowanie się w pobliżu, potrzeba źródeł światła na poziomie ósmym, więc dobrze jest zadbać o ten element we wznoszonych konstrukcjach.

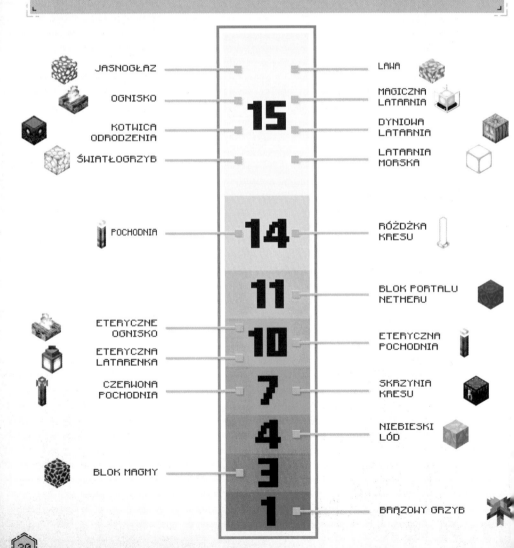

JASNOGŁAZ

OGNISKO

KOTWICA ODRODZENIA

ŚWIATŁOGRZYB

15

LAWA

MAGICZNA LATARNIA

DYNIOWA LATARNIA

LATARNIA MORSKA

POCHODNIA

14

RÓŻDŻKA KRESU

11

BLOK PORTALU NETHERU

ETERYCZNE OGNISKO

ETERYCZNA LATARENKA

10

ETERYCZNA POCHODNIA

CZERWONA POCHODNIA

7

SKRZYNIA KRESU

4

NIEBIESKI LÓD

BLOK MAGMY

3

1

BRĄZOWY GRZYB

Oświetlenie to kluczowy element wszystkich projektów. Może ono zadecydować o tym, czy twój budynek będzie przeciętny, czy naprawdę niezwykły. Sposób używania światła to jedno z największych wyzwań w grze, zgromadziliśmy więc szereg informacji, dzięki którym szybko opanujesz tę sztukę.

EFEKTY OŚWIETLENIOWE

Istnieje mnóstwo sposobów na uzyskanie efektów świetlnych w Minecrafcie. Osiągnięcie oświetlenia o konkretnym poziomie może być trudne, oto więc kilka dobrych rad na początek.

DYSKRETNE ŚWIATŁO

Czasem dobrze jest, gdy oświetlenie nie jest zbyt nachalne. Światło przenika przez przejrzyste bloki, takie jak dywany, sztandary czy obrazy. Czasem warto więc ukryć źródła światła w ścianach i podłogach.

POZIOMY OŚWIETLENIA

Użyj źródeł światła o różnym natężeniu, aby podkreślić odmienne elementy budowli. Każdy poziom światła nada twojemu dziełu głębi: przytłumiony blask magmy i różdżek Kresu wyróżni bryłę konstrukcji na tle biomu.

DETEKTOR ŚWIATŁA DZIENNEGO

Niektóre budowle wyglądają świetnie w ciągu dnia, ale w nocy będą potrzebowały choć odrobiny światła. Użyj detektorów światła dziennego, aby automatycznie oświetlały bazę, gdy zajdzie słońce.

OŚWIETLENIE POD WODĄ

Używanie podwodnych źródeł światła może dawać fantastyczne efekty. Dobrze sprawdzą się tu iskrzyłudy – im więcej ich umieścisz (do czterech sztuk), tym jaśniejsze światło będą emitować.

NASTROJOWE ŚWIATŁO

Oświetlenie wnętrza współgrające z jego wystrojem może dawać niesamowite efekty. Można to zrobić na wiele sposobów. Zacznij od wyboru emitującego światło bloku, a potem zastanów się, jak mógłbyś wykorzystać go w swoim budynku.

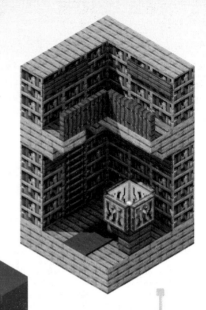

ŚWIECZNIK

Pochodnie to jedno z najprostszych źródeł światła. W tej bibliotece stoi świecznik stworzony ze spaczonych klap, pochodni i dębowych schodów.

AKWARIUM

Podwodne oświetlenie może dawać fantastyczne efekty. Aby iskrzyludy emitowały światło, należy umieścić je w wodzie – idealnie nadają się do akwariów.

KOMINEK

Stwórz kominek z połączenia ogniska, żelaznych krat i cegieł. Raz zapalone, ognisko będzie płonęło wiecznie.

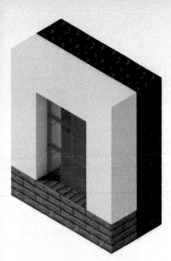

OKNA Z BARWIONEGO SZKŁA

Zmień widok z okna, wstawiając w nie barwioną szybę. Istnieje szesnaście kolorów, z których możesz wybierać.

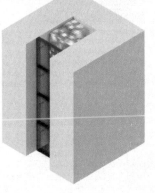

KINKIET

Użyj ramki na przedmiot, półbloku i pochodni, umieszczając je dokładnie w tej kolejności, by zrobić średniowieczny uchwyt na pochodnię.

ŻYRANDOL

Zawieś fantastyczny żyrandol, osadzając różdżki Kresu na konstrukcji z płotów.

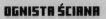

OGNISTA ŚCIANA

Stwórz lawową ścianę, zamykając źródło lawy za taflą szkła i otaczając ją kamiennymi blokami. Unikaj drewna – zajmie się od lawy ogniem i spłonie!

REFLEKTOR

Jasnogłaz daje najjaśniejsze światło w grze. Dzięki temu doskonale nadaje się na reflektor oświetlający rzeczy, którymi chcesz się pochwalić, jak zabawne sztandary.

PRZESTRZEŃ ZEWNĘTRZNA

Oświetlenie dużych powierzchni na zewnątrz budynku jest trudne — zbyt wiele takich samych źródeł światła może dać wrażenie nudy, a jeśli nie oświetlisz terenu należycie, narazisz się na atak mobów. Istnieje mnóstwo sposobów rozwiązania tego problemu. Oto kilka z nich.

SŁUPEK Z LAMPĄ

Ta lampa na słupku została dopełniona dyniową latarnią zwiększającą jeszcze natężenie światła.

KOCIOŁ

Zbuduj ognisko i zawieś nad nim kocioł. Możesz też dodać drewniane deski, by wokół kotła powstało miejsce biwakowe.

FLUORESCENCYJNE KOLUMNY

Słupki z jarzących się jasno różdżek Kresu idealnie pasują do nowoczesnych budynków.

LATARNIA

Latarnie dobrze nadają się do oświetlania dużych obszarów, bo można umieścić je wszędzie, gdzie potrzeba dodatkowego światła.

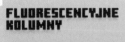

DYNIOWA GRZĄDKA

Te straszliwe latarnie stanowią dyskretne źródło oświetlenia. Dają jasne światło, a jeśli zwrócisz je „twarzą" do ściany, zamaskujesz źródło blasku.

NAWIEDZONE DRZEWO

To potężne drzewo lśni błękitnawo od blasku eterycznych pochodni umieszczonych na jego gałęziach. Możesz użyć tylu pochodni, ile zechcesz, by dobrać poziom oświetlenia.

TAJEMNICZA SADZAWKA

Tą tajemniczą sadzawkę rozświetla blask iskrzyłud. Wygląda to wprost nieziemsko!

WISZĄCY KOSZ

Światłogrzyby to uniwersalne źródło światła. Ten wiszący kosz emituje światło 15 poziomu. Dobre do ciasnych przestrzeni!

BIOMY
I PODBIOMY

BIOMY I PODBIOMY

Na każdy biom składają się liczne podbiomy o odmiennych cechach krajobrazu. Istnieje ich ponad 75 rodzajów! Eksploruj okolicę lub użyj polecenia wyszukiwania biomu (zob. str. 32), aby odkryć wszystkie biomy i ich warianty.

FORT IGLOO

ZAŚNIEŻONA TUNDRA

Biały śnieg i niewiele form życia sprawiają, że śnieżne biomy to idealne tło dla zimowych budowli.

PODBIOM:
Zaśnieżone góry

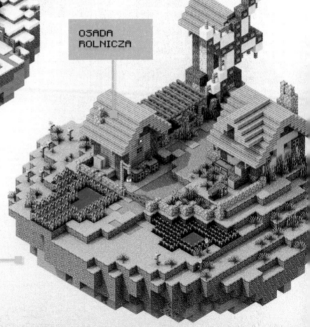

OSADA
ROLNICZA

RÓWNINY

Ten płaski trawiasty biom jest pełen przestrzeni, więc stanowi świetne miejsce do wznoszenia dużych budowli.

PODBIOM:
Słonecznikowe równiny

Wybór miejsca, w którym wzniesiesz swoją budowlę, jest równie ważny co sam projekt. W Świecie Podstawowym, Netherze i Kresie istnieje wiele niepowtarzalnych biomów — od ciebie zależy, który z nich wybierzesz do swoich pomysłów. Zmień tryb na kreatywny i spójrz z góry, żeby przekonać się, co kryje okolica.

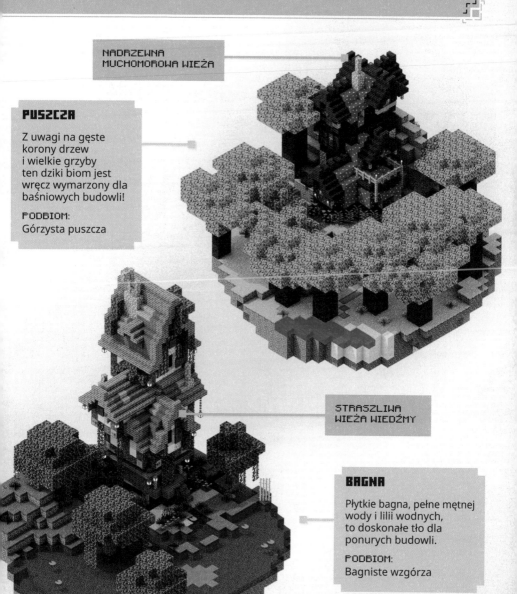

NADRZEWNA
MUCHOMOROWA WIEŻA

PUSZCZA

Z uwagi na gęste korony drzew i wielkie grzyby ten dziki biom jest wręcz wymarzony dla baśniowych budowli!

PODBIOM:
Górzysta puszcza

STRASZLIWA
WIEŻA WIEDŹMY

BAGNA

Płytkie bagna, pełne mętnej wody i lilii wodnych, to doskonałe tło dla ponurych budowli.

PODBIOM:
Bagniste wzgórza

GŁĘBINOWA
PLATFORMA
NURKOWA

OCEAN

Biom oceanu jest wręcz
stworzony do budowania
podwodnych konstrukcji.

PODBIOM:
Ciepły ocean

ZAMEK
NA POGRANICZU

SPACZONY LAS

Ten turkusowy
netherowy biom
to dobre miejsce
dla fantastycznych
budowli.

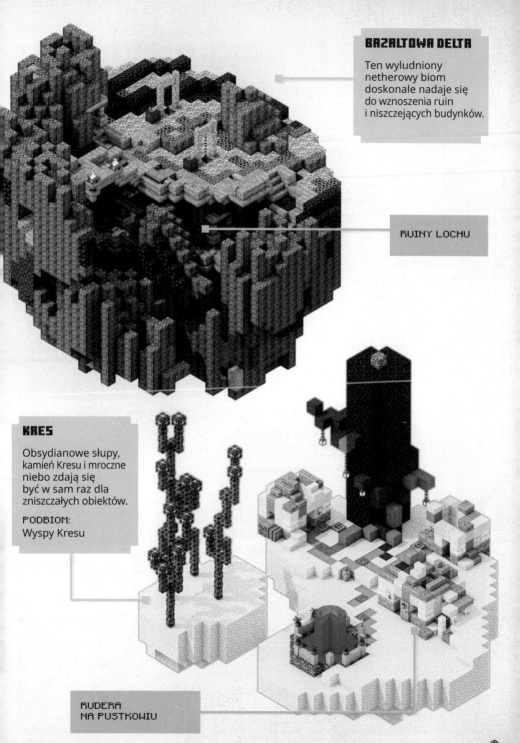

BAZALTOWA DELTA

Ten wyludniony
netherowy biom
doskonale nadaje się
do wznoszenia ruin
i niszczejących budynków.

RUINY LOCHU

KRES

Obsydianowe słupy,
kamień Kresu i mroczne
niebo zdają się
być w sam raz dla
zniszczałych obiektów.

PODBIOM:
Wyspy Kresu

RUDERA
NA PUSTKOWIU

29

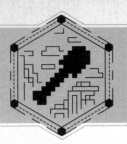

TERRAFORMOWANIE KRAJOBRAZU

1 ZNAJDŹ MIEJSCE
Poszukaj biomu, który odpowiada twoim potrzebom. Wykorzystaj miejsce mające cechy, na których najbardziej ci zależy. Oszczędzisz w ten sposób czas, który musiałbyś poświęcić na terraformowanie.

2 WYBIERZ STYL
Wybierz bloki pasujące do stylu i lokalizacji. Mogą być nowe lub występować już w danym biomie. Wykorzystywanie różnych wariantów bloków to świetny sposób na dodanie budowli charakteru.

3 ZACZNIJ OD PODSTAW
Zacznij pracę na niewielkim obszarze testowym. Spróbuj odtworzyć naturalne cechy krajobrazu, na przykład rzeki czy pola, aby sprawdzić swoje umiejętności w tej dziedzinie.

PRZED

Jeśli nie zdołałeś znaleźć odpowiedniego biomu, rozważ opcję terraformowania. Jeżeli kiedykolwiek wykuwałeś jaskinię w górskim zboczu lub karczowałeś drzewa, wiesz już, na czym to polega! Terraformowanie to celowe przekształcanie krajobrazu — i ważna umiejętność przydatna podczas budowania.

DODANE ELEMENTY NATURALNE

USUNIĘTE BLOKI

PO

NOWE WARIANTY BLOKÓW

4 WIDOK Z ODDALI

Gdy ukończysz pracę na obszarze testowym, oceń dzieło z pewnej odległości. Czy efekt jest taki, jak sobie to wcześniej wyobrażałeś? Poświęć nieco czasu, aby upewnić się, że uzyskasz pożądany rezultat.

5 DOKOŃCZ SWOJE DZIEŁO

Gdy już będziesz zadowolony z efektu pracy, zmień teren, którego będziesz potrzebował do konstrukcji dzieła. Pracuj powoli i systematycznie. Co jakiś czas sprawdzaj rezultaty, aby mieć pewność, że wszystko idzie zgodnie z planem.

DOBRE RADY

W Minecrafcie nie ma żadnych ograniczeń, jeśli chodzi o terraformowanie. Większość graczy wybiera małe budowle, ale są i tacy, którzy tworzą całe biomy! Możesz zmieniać wszystko, co widzisz dookoła!

KREATYWNE POLECENIA

LOKALIZUJ

Narzędzie lokalizacji poda ci współrzędne najbliższej generującej się naturalnie struktury. Użyj polecenia

`/locate village`

ZLOKALIZUJ BIOM (JAVA EDITION)

Narzędzie lokalizacji biomu udostępni ci współrzędne każdego rodzaju biomu. Użyj polecenia

`/locatebiome minecraft:beach`

TELEPORTACJA

Polecenie teleportacji wyśle cię do wskazanych współrzędnych. To przydatne w połączeniu z poleceniem lokalizacji. Użyj polecenia

`/tp player 10 10 10`

CZAS

W Minecrafcie możesz kontrolować porę dnia. Jeśli wolisz budować za dnia lub późno w nocy, użyj polecenia

`/time set day`

POGODA

Możesz również kontrolować pogodę. Jeśli chcesz zobaczyć, jak twoja budowla wygląda w deszczu, użyj polecenia

`/weather rain`

Gra w trybie kreatywnym oferuje dostęp do poleceń będących elementami kodu. Są one bardzo przydatne, a jeśli nauczysz się nimi właściwie posługiwać, oszczędzą ci mnóstwa czasu podczas tworzenia nowej konstrukcji. Są tak przydatne, że ich używanie w trybie przetrwania uznaje się za oszukiwanie!

EKWIPUNEK

Możesz kontrolować różne zasady, odnoszące się na przykład do posiadanego ekwipunku. Użyj polecenia

```
/gamerule
keepInventory
```

TRYB GRY

Chcesz przetestować swoją budowlę w innym trybie gry? Użyj polecenia

```
/gamemode creative
```

SZKODZENIE

Obawiasz się, że twoje dzieło zniszczy eksplodujący creeper albo kradnący bloki enderman? Aby temu zapobiec, użyj polecenia

```
/gamerule
mobGriefing
```

ZIARNO (JAVA EDITION)

Jeśli znalazłeś świat, który ci się podoba, i chcesz go odtworzyć, użyj poniższego polecenia (w wersji Bedrock ziarno można znaleźć w menu opcji świata)

```
/seed
```

POLECENIA

Aby zapoznać się z pełną listą poleceń, wpisz

```
/help
```

BUDOWANIE

Teraz, gdy poznałeś już bloki i biomy, nadeszła pora
przekonać się, co możesz stworzyć. W pełnej bloków grze,
jaką jest Minecraft, umiejętność identyfikowania kształtów
wykorzystywanych podczas konstrukcji szybko uczyni cię
ekspertem od budowania! Jednak to nie wszystko!
Wytrawny budowniczy potrafi również dekorować
konstrukcje. Zobacz, jakie kształty i detale możesz
zawrzeć w swoim dziele.

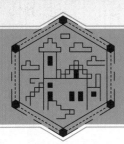

KSZTAŁTY I KONSTRUKCJE

KSZTAŁTY

Zdaniem wielu budowniczych najważniejsza jest prostota. Znajomość podstawowych kształtów oraz tego, jak można je ze sobą łączyć, pozwoli ci stworzyć dosłownie wszystko!

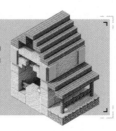

KLIN

Trójkątne kliny można wykorzystywać w konstrukcji dachów, ścian, a nawet jako podstawy budynków. Skośnie położone boki przydają wielu budowlom charakteru.

PROSTOPADŁOŚCIANY

Prostopadłościany, w tym sześciany, są najpopularniejsze – z uwagi na ich prostotę. Często buduje się z nich tymczasowe bazy, wznosi szybkie konstrukcje i nieskomplikowane budowle.

OSTROSŁUPY

Ostrosłupy, takie jak piramidy, idealnie sprawdzają się jako dachy, a nawet samodzielne budowle.

Każdy twór w Minecrafcie, nawet wielki lub skomplikowany, można rozłożyć na podstawowe kształty. Przed przystąpieniem do tworzenia nowej konstrukcji spróbuj podzielić ją na elementy składowe. Zrozumienie, w jaki sposób kształty łączą się ze sobą, pomoże ci przeanalizować całą budowlę.

KULE

Chociaż w Minecrafcie nie da się stworzyć idealnej kuli, możesz budować z grubsza kuliste kształty. Kule uzyskuje się z szeregu okręgów – to bardzo popularny kształt w świecie pełnym kanciastych bloków.

WALCE

Walce to zaokrąglone prostopadłościany. Są bardziej złożone i ciekawsze od tych ostatnich. Można je ustawiać zarówno pionowo, jak i poziomo.

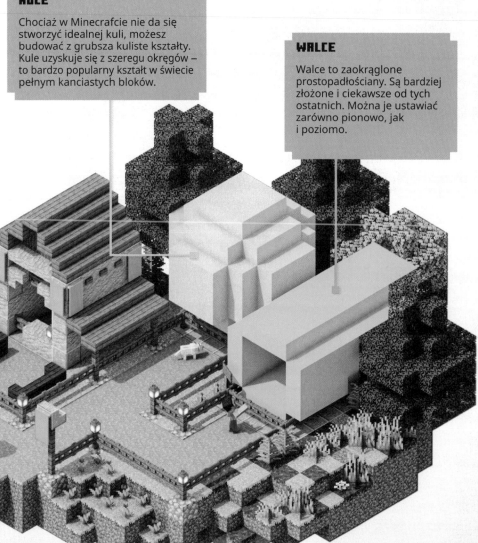

PROSTOPADŁOŚCIANY: KROK PO KROKU

Prostopadłościany, jak sama nazwa wskazuje, to bryły o prostopadłych – prostokątnych lub kwadratowych – ścianach. Są bardzo uniwersalne i można je znaleźć w niemal każdej dużej budowli.

SZEŚCIANY

Sześciany mają sześć kwadratowych ścian: dwie poziome i cztery pionowe.

KWADRATOWA PODSTAWA

Podstawa bryły określa kształt i wielkość piramidy. Dodając zwężające się ściany do kwadratu, uzyskasz idealne trójkąty.

OSTROSŁUPY: KROK PO KROKU

Wśród ostrosłupów najważniejsze są piramidy o kwadratowej podstawie i czterech trójkątnych ścianach. Stanowią miłą odmianę na tle sześciennych bloków. Są używane w charakterze zwieńczenia dachów, ale bywają też osobnymi budowlami.

TRÓJKĄTY

Piramidy bryły o czterech trójkątnych ścianach. Aby stworzyć trójkąt, zmniejszaj liczbę bloków w każdej kolejnej warstwie.

STROME ŚCIANY

Aby uzyskać nachyloną trójkątną ścianę, umieszczaj bloki kaskadowo, z każdym poziomem kierując się ku centrum podstawy.

KROK PO KROKU

Kliny są równie powszechne co piramidy. Kształt wydłużonego trójkąta dobrze sprawdza się jako dach, a także namiot czy inna konstrukcja. Chociaż kliny przypominają nieco piramidy, ich bardziej skomplikowany i uniwersalny kształt przekłada się na dużą popularność wśród bardziej doświadczonych budowniczych.

TRÓJKĄTNE BOKI

Dwa boki w bryle klina są trójkątne, podobnie jak w piramidzie. Aby stworzyć trójkąt, zmniejszaj liczbę bloków w każdej kolejnej warstwie.

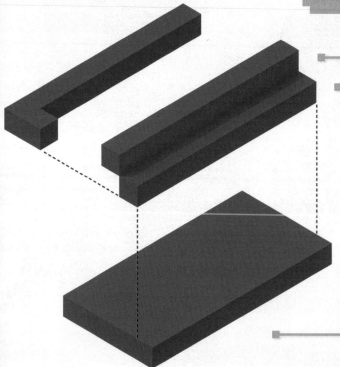

SCHODKI

Boczne ściany klina przypominają schody. Układaj bloki kaskadowo, z każdym poziomem kierując się ku centrum bryły.

PROSTOKĄTNA PODSTAWA

Kliny mają prostokątną podstawę. Mogą mieć dowolną długość, ale ich wysokość zależy od szerokości.

BUDOWLE OPARTE NA KSZTAŁCIE KLINA

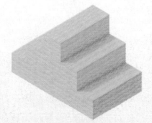

KRÓRKI KLIN

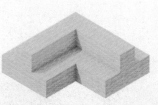

DWA KLINY POŁĄCZONE POD KĄTEM

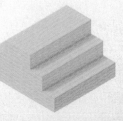

DŁUGI KLIN

KULE: KROK PO KROKU

Może się wydawać, że kule są kształtem najtrudniejszym do uzyskania w Minecrafcie – ale wcale tak nie jest! Kula to nic innego jak szereg połączonych ze sobą pierścieni o różnej średnicy. Budując połowę kuli, uzyskasz kopułę.

MNIEJSZE KOŁA

Teraz dodaj 4 koła – każde mniejsze niż poprzednie, o wymiarach 9 x9, 7 x 7, 5 x 5.

WIĘKSZE KOŁA

Zostały jeszcze 3 koła – o wymiarach 7 x 7, 9 x 9, 9 x 9.

KOLEJNE KOŁO

Zbuduj centralne koło, o wymiarach takich samych jak największe: 9 x 9.

PIERWSZE KOŁO

Zacznij od koła o wymiarach 5 x 5, tak jak na rysunku.

PRZYKŁADY KULISTYCH BUDOWLI

DUŻA KULA

MAŁA KULA

KOPUŁA

ELIPSOIDA

WALCE: KROK PO KROKU

Walce to kolejny ważny kształt w Minecrafcie. To prostopadłościany o zaokrąglonych rogach — idealnie sprawdza się w pełnych szczegółów, dużych konstrukcjach.

OKRĄGŁA PODSTAWA

Zacznij od zbudowania koła o wymiarach 7 x 7, tak jak na rysunku. Możesz stworzyć większe lub mniejsze walce z każdego wymiaru: 9 x 9, 13 x 13 lub 15 x 15.

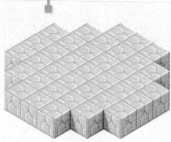

ŚCIANY

Wnoś ściany zgodnie z kształtem podstawy do wysokości określonej przez liczbę bloków w zarysie: na podstawie 7 x 7 wznieś ściany do wysokości 8 bloków.

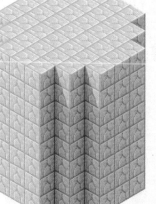

POZIOME I PIONOWE

Walce można ustawiać pionowo lub poziomo. Aby zbudować walec poziomy, postępuj zgodnie ze wskazówkami na stronie, zaczynając od pionowej podstawy.

PRZYKŁADY WALCÓW

PIONOWY

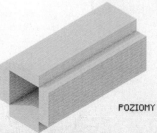

POZIOMY

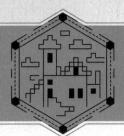

BLOKOWE TRIKI: WNĘTRZA

KRZESŁO

Użyj klap i schodów, aby zbudować krzesła. Świetne poduszki stworzysz ze sztandarów!

TŁOKOWY STÓŁ

Aktywowane tłoki na czerwonych pochodniach dają efekt stołowych nóg. Idealny mebel do jadalni!

SCHODY

Spiralne schody to duża oszczędność przestrzeni!

KOMINEK

Kominki można ozdobić wieloma detalami. Dodaj ozdobne elementy do gzymsu, a z przodu umieść kraty.

Skoro budynek jest już gotowy, pora na dodanie detali! W grze istnieje mnóstwo bloków dekoracyjnych, ale możesz też łączyć bloki, aby uzyskać unikatowy efekt. Inspiruj się otoczeniem i sprawdź, jakie meble i sprzęty możesz postawić w swoich wnętrzach!

PRYSZNIC

Szyby i pryzmaryn sprawdzą się jako kabina prysznicowa. Umieść nad głową ukryte źródło wody, aby uzyskać efekt prysznica.

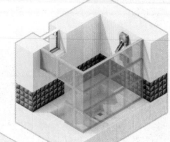

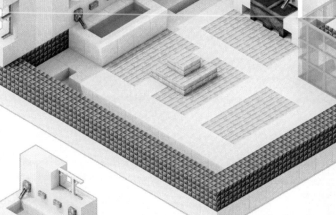

UMYWALKI

Umywalki możesz zrobić z kotłów. Lśniące biało różdżki Kresu to idealne źródło światła w łazience.

WANNA

Gotów na kąpiel? Wanna to świetne miejsce na przeczekanie nocy!

OKNA

Pamiętaj, aby zrobić okna i wykorzystać w ten sposób światło dzienne. Zasłony ze sztandarów i parapet stanowią świetne uzupełnienie bazy.

REGAŁY

Regały to sposób na zapełnienie pustych ścian. Możesz na nich postawić rośliny, skrzynie, a nawet trofea!

SALON

Żaden salon nie może się obejść bez sofy! Zrób ją ze schodów, a stolik kawowy z półbloków.

KUCHNIA

Kotły świetnie sprawdzają się jako kuchenny zlew. Użyj klapy, aby zrobić pod nim szafkę.

STÓŁ

Czasem wystarczą tylko prosty stół i kilka krzeseł. Ten jest zrobiony z półbloków i dywanów, a krzesła ze schodów i tabliczek.

AGD

Chociaż w grze nie musisz się martwić, że jedzenie się zepsuje, możesz ustawić w kuchni lodówkę!

SMACZNEGO!

Z dala słychać już bicie dzwonu – to sygnał wzywający twoich przyjaciół na posiłek!

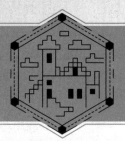

BLOKOWE TRIKI: Z ZEWNĄTRZ

DONICZKI

Doniczka na parapecie została zrobiona z ziemi i klap. Rośliny, takie jak maki czy tulipany stanowią miły akcent kolorystyczny.

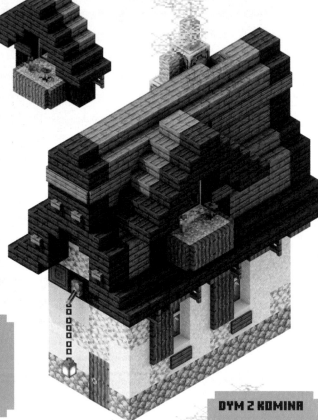

OKIENNICE

Okiennice to doskonały dodatek do każdego okna. Możesz je zrobić z klap, które da się umieścić na większości powierzchni.

DYM Z KOMINA

Dym unoszący się z komina to sygnał, że dom jest zamieszkany. Tutaj wykorzystano pajęczyny, które przypominają dym.

DACH

Dodanie niewielkich detali, takich jak przyciski i znaki, to doskonały sposób na ożywienie dachu.

Żaden budynek nie jest kompletny, póki jego ściany nie zostały udekorowane równie skrupulatnie co wnętrze! Istnieją niezliczone sposoby na zadbanie o to — na przykład dodanie mebli czy krzewów. Puść wodze fantazji i wybierz elementy współgrające z twoim stylem. Co zbudujesz?

WARIANTY

Możesz ożywić ściany, wzbogacając budowlę o warianty bloków, które przydadzą jej charakteru.

PERGOLA

Pergole świetnie wypełniają pustą przestrzeń. Można je również wykorzystać do ozdobienia budowli zielenią.

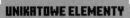

UNIKATOWE ELEMENTY

Warto ozdobić ściany niespotykanymi detalami, takimi jak ta kula na łańcuchu. Do niczego nie służy, ale wygląda świetnie!

BALKON

Balkony otwierają budowlę na zewnątrz. Ten świetnie wygląda w biomie pustynnym.

MOSTY

Chociaż mosty to proste budowle, świetnie wzbogacają otoczenie budynku.

UJĘCIE WODY

W miejscach oddalonych od rzek i oceanów ujęcia wody są bardzo ważne. Niewyczerpane źródło wody uzyskasz, umieszczając obok siebie trzy źródła wody. Nie próbuj tego w Netherze, gdzie woda zaraz wyparuje!

NETHEROWA DONICZKA

Połącz szkarłatne czerwienie i spaczone błękity, aby tworzyć takie konstrukcje jak ta doniczka z grzybami.

BARWIONE SZKŁO

Rozważ wykorzystanie w swoich budowlach barwionego szkła. W tej inspirowanej Netherem konstrukcji użyliśmy zabarwionego na szaro.

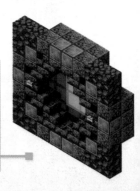

ŻURAW

To kolejny ozdobny detal, który – choć nie jest funkcjonalny – sprawia, że budowla się wyróżnia. Kontrast z kwarcem uwypukla różnice tekstur.

SCHODY

Do budynku powinna prowadzić niezwykła trasa. Te połączone schodami platformy to prosty, ale elegancki projekt.

ŁUK Z DONICZKĄ

Zamiast pełnych ścian spróbuj budować łuki. Dają wrażenie otwartej przestrzeni, a rośliny przydadzą im uroku.

49

BAW SIĘ KSZTAŁTAMI
Z WATTLES

„Zawsze zaczynam od podstawowego kształtu i powoli dodaję elementy. Ta świątynia w stylu rzymskim składa się z czterech kształtów: wejście jest prostokątne, główna część świątyni jest zbudowana na planie koła, sala świątynna ma kształt kwadratu i jest przykryta kopułą!".

„Aby stworzyć więcej podobnych budowli, spróbuj zaczynać od konturów kształtów. Następnie metodą prób i błędów dąż do uzyskania pożądanej konstrukcji".

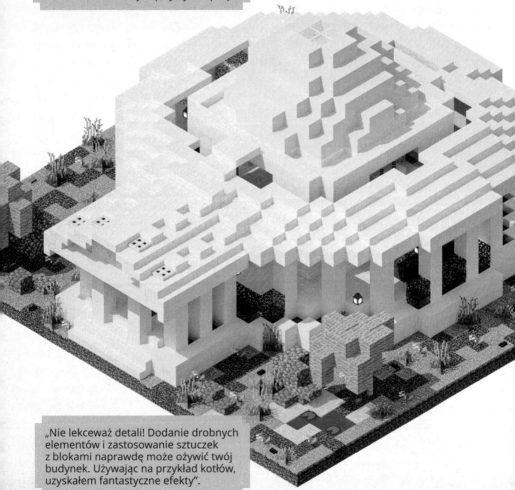

„Nie lekceważ detali! Dodanie drobnych elementów i zastosowanie sztuczek z blokami naprawdę może ożywić twój budynek. Używając na przykład kotłów, uzyskałem fantastyczne efekty".

Nawet najbardziej skomplikowane budowle — jak tą elitarną świątynię w stylu rzymskim — buduje się od zera, choć przejście od podstawowych kształtów do tak zaawansowanych konstrukcji może być nieco trudne. Na szczęście youtuber i wytrawny budowniczy Wattles ma dla ciebie kilka świetnych rad!

„Kotły wyglądają super! Jeśli zwiesisz z sufitu łańcuchy i umieścisz pod nimi kotły, uzyskasz efekt podwieszonego u stropu wiadra".

„Ogniska świetnie nadają się do rozświetlania przestrzeni. Umieść ognisko na bloku i otocz je tabliczkami, aby stworzyć skrzynię".

Możesz wprowadzać zmiany, póki nie uznasz, że konstrukcja jest skończona. „Chciałem, aby świątynia sprawiała wrażenie bardziej otwartej. Usunąłem więc bloki ze ścian i sufitu".

„Czy wiesz, że możesz połączyć otwartą klapę ze ścianą, płotem lub żelaznymi kratami? To świetny sposób na wykończenie ścian".

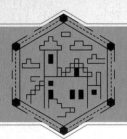

POŁĄCZ ELEMENTY

DODATKOWA PRZESTRZEŃ

W tym budynku dwa połączone ze sobą podstawowe kształty: prostopadłościan i klin tworzą dom. Do dachu dodano drugi klin, służący jako lukarna.

EFEKTY

Wykorzystywanie pajęczyn w charakterze dymu z komina to zabawna sztuczka.

STYL

W tej budowli dobraliśmy bloki tak, aby pasowały do stylu chaty w lesie. Użycie bloków podstawowych, takich jak schody, murki i półbloki, dało fantastyczny efekt.

ELEWACJA

Dzięki kilku detalom wykończenia budynek wygląda na w pełni dopracowany.

Teraz, gdy już znasz bloki, style, kształty i sztuczki, nadeszła pora przekonać się, jak te elementy mogą ze sobą współgrać. Gdy dowiesz się, jak je łączyć, już wkrótce będziesz mógł budować wszystko, o czym tylko zamarzysz — zarówno proste konstrukcje, jak też bardziej skomplikowane.

ZESPOLONE

Łącząc dwie konstrukcje, możesz dać się ponieść fantazji! Zachodzące na siebie kształty dają czasem zabawny, niesamowity efekt. Wystarczy odrobina praktyki, by opanować tę sztukę. Gdy zaś zdobędziesz biegłość, jedynym ograniczeniem będzie twoja wyobraźnia!

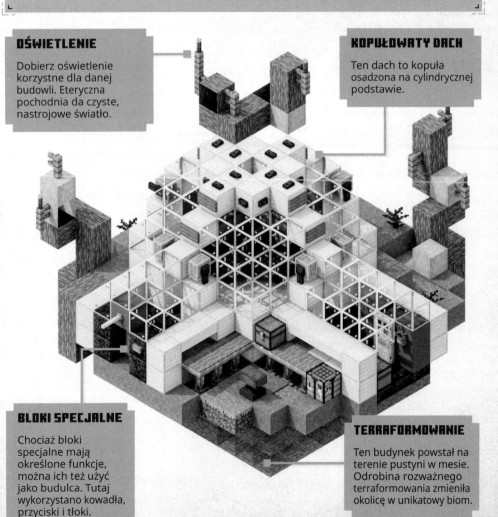

OŚWIETLENIE

Dobierz oświetlenie korzystne dla danej budowli. Eteryczna pochodnia da czyste, nastrojowe światło.

KOPUŁOWATY DACH

Ten dach to kopuła osadzona na cylindrycznej podstawie.

BLOKI SPECJALNE

Chociaż bloki specjalne mają określone funkcje, można ich też użyć jako budulca. Tutaj wykorzystano kowadła, przyciski i tłoki.

TERRAFORMOWANIE

Ten budynek powstał na terenie pustyni w mesie. Odrobina rozważnego terraformowania zmieniła okolicę w unikatowy biom.

KONSTRUKCJE

Znalezienie inspiracji może być dla początkujących graczy
sporym wyzwaniem, wybraliśmy więc szereg unikatowych budowli,
które możesz odtworzyć w grze. Postępuj zgodnie
ze wskazówkami zawartymi na kolejnych stronach, aby tego
dokonać. Czy zdołasz dostrzec techniki, które opisaliśmy
w poprzednich częściach książki? Wprowadzaj
własne rozwiązania, gdy tylko przyjdzie ci
na to ochota i personalizuj swoje dzieła!

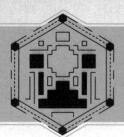

NIESAMOWITA SZKLARNIA

POZIOM TRUDNOŚCI:

🕐 30 minut

GŁÓWNE BLOKI

Z PRZODU

Z BOKU

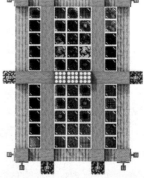

Z GÓRY

Prostopadłościenne konstrukcje to doskonały punkt wyjścia dla każdego początkującego budowniczego. W tej szklarni wykorzystano proste kształty i starannie dobrany styl, aby uzyskać imponujące efekty. Czy dostrzegasz, w jaki sposób detektor światła dziennego dopełnia tę konstrukcję?

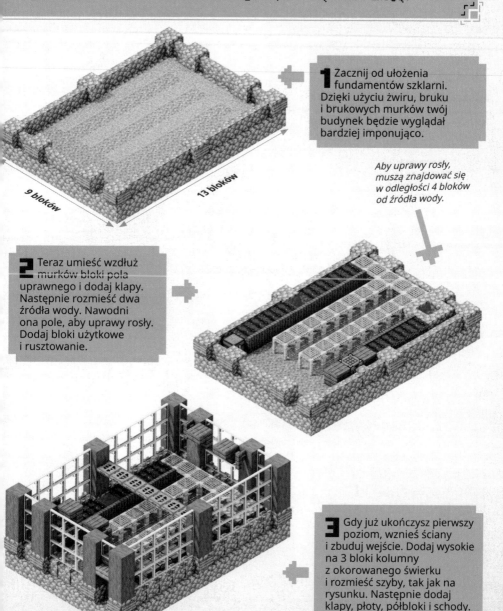

1 Zacznij od ułożenia fundamentów szklarni. Dzięki użyciu żwiru, bruku i brukowych murków twój budynek będzie wyglądał bardziej imponująco.

Aby uprawy rosły, muszą znajdować się w odległości 4 bloków od źródła wody.

9 bloków

13 bloków

2 Teraz umieść wzdłuż murków bloki pola uprawnego i dodaj klapy. Następnie rozmieść dwa źródła wody. Nawodni ona pole, aby uprawy rosły. Dodaj bloki użytkowe i rusztowanie.

3 Gdy już ukończysz pierwszy poziom, wznieś ściany i zbuduj wejście. Dodaj wysokie na 3 bloki kolumny z okorowanego świerku i rozmieść szyby, tak jak na rysunku. Następnie dodaj klapy, płoty, półbloki i schody.

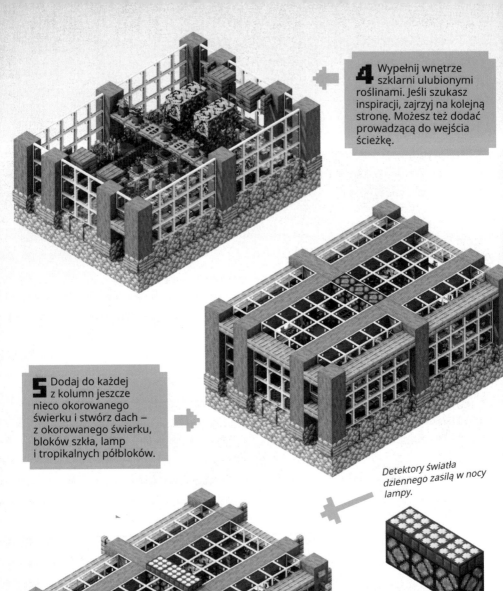

4 Wypełnij wnętrze szklarni ulubionymi roślinami. Jeśli szukasz inspiracji, zajrzyj na kolejną stronę. Możesz też dodać prowadzącą do wejścia ścieżkę.

5 Dodaj do każdej z kolumn jeszcze nieco okorowanego świerku i stwórz dach – z okorowanego świerku, bloków szkła, lamp i tropikalnych półbloków.

Detektory światła dziennego zasilą w nocy lampy.

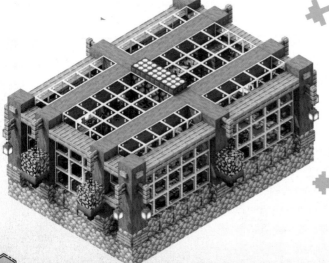

6 Dokończ szklarnię, rozmieszczając nad lampami detektory światła. Możesz także ozdobić elewację przyciskami, latarenkami i zawiesić kosze z roślinami.

WISZĄCE OGRODY

Użyj liści i pnączy, aby stworzyć efekt bujnej roślinności.

ŁAWKI

Do stworzenia ławek, na których ustawisz doniczki, idealne są bloki rusztowania.

WARSZTAT

Zadbaj o stół rzemieślniczy – dobrze jest mieć go zawsze pod ręką!

WISZĄCY KOSZ

Stwórz kosze z lejów, by ozdobić budynek odrobiną zieleni.

UPRAWY

Zasadź rośliny uprawne. Z buraków ugotujesz pyszną zupę!

PÓŁKI

Wykorzystaj przestrzeń, wieszając wysoko półki. Możesz na nich ustawić doniczki z roślinami.

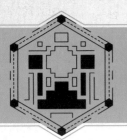

CHATA
W ZACZAROWANYM LESIE

GŁÓWNE BLOKI

Z PRZODU

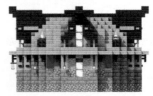

Z BOKU

Z GÓRY

1 Najpierw znajdź spaczony las. Następnie stwórz fundamenty chaty. Możesz wyodrębnić strefy użytkowania, na przykład kuchnię, używając różnych bloków i wzorów.

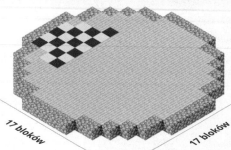

17 bloków

17 bloków

2 Zacznij wznosić ściany, zostawiając przestrzeń na drzwi z ciemnego dębu i trzy okna. Użyj połączenia różnych rodzajów bruku i kamienia, aby przydać ścianom charakteru.

3 Dodaj do używanych bloków okorowaną brzozę i kontynuuj wznoszenie ścian i budowanie okien. Następnie stwórz ozdobne nadproże nad drzwiami z andezytu, andezytowych schodów i rzeźbionych kamiennych cegieł.

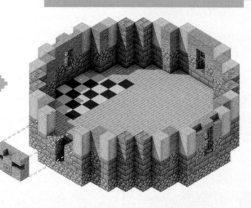

4 Teraz zbuduj platformę z ciemnego dębu, używając półbloków i zostawiając dwa duże otwory. Następnie dodaj na zewnątrz oświetlenie i ozdobne detale.

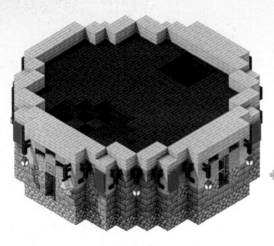

Dzwony i latarenki zawieszone na płotach to świetny sposób na dodanie konstrukcji głębi.

5 Zacznij układać kontur dachu swojej chaty. Użyj brzozowych desek i półbloków, aby uzyskać efekt spadzistego dachu.

6 Z brzozowych półbloków ułóż wokół budynku okap. Będzie on nie tylko ciekawym dodatkiem to idealne miejsce na zawieszenie latarenek i dzwonu.

Odwrócone schody z kamiennych cegieł sprawią, że chata będzie się wydawała bardziej przestronna.

7 Teraz dodaj nowe rodzaje bloków, aby uzyskać kontrast z brzozowym dachem. Tutaj użyto snopów siana i schodów z kamiennych cegieł. Ze str. 16–17 dowiesz się więcej o wybieraniu bloków odpowiednich do stylistyki.

8 Kontynuuj stawianie dachu, dodając kolejny pierścień bloków nad tymi umieszczonymi na kroku 7. Dzięki dodatkowej przestrzeni gracze będą mogli swobodnie się wyprostować.

9 Dodaj jeszcze jeden, mniejszy pierścień bloków, aby uzyskać kształt kopuły.

10 W kolejnym pierścieniu zostaw otwór o wymiarach 5 x 5 bloków.

DOBRA RADA

Dach chaty ma kształt podzielonej na cztery części kopuły. Zajrzyj na strony 40–41, aby dowiedzieć się więcej na temat kul i sposobu ich budowania.

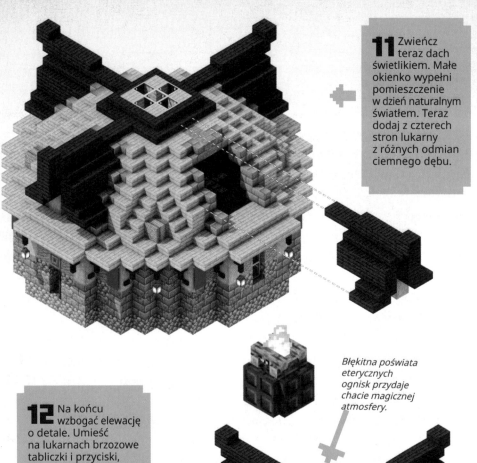

11 Zwieńcz teraz dach świetlikiem. Małe okienko wypełni pomieszczenie w dzień naturalnym światłem. Teraz dodaj z czterech stron lukarny z różnych odmian ciemnego dębu.

Błękitna poświata eterycznych ognisk przydaje chacie magicznej atmosfery.

12 Na końcu wzbogać elewację o detale. Umieść na lukarnach brzozowe tabliczki i przyciski, aby kontrastowały z ciemnym dębem. Użyj też eterycznych ognisk, by oświetlić chatę.

DOBRA RADA

Dzięki bocznym pomieszczeniom i lukarnom konstrukcja wydaje się przestronniejsza.

KUCHNIA

Stwórz na dolnym poziomie kuchnię w części wyłożonej płytkami z szarego i białego betonu. Dodaj piece do gotowania i skrzynie do magazynowania dóbr.

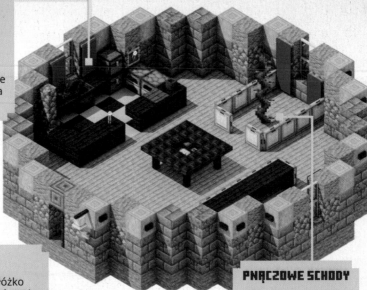

PARTER

SYPIALNIA

Umieść na piętrze łóżko i użyj go, aby zapisać swoją lokalizację. Dostaw skrzynie na przydatne przedmioty, abyś mógł się zabrać ponownie do roboty, gdy tylko się respawnujesz.

PNĄCZOWE SCHODY

To pnącze ma dwojakie przeznaczenie: służy jako schody na piętro, a zarazem urozmaica wnętrze. Rośliny pobudzają kreatywność i zmniejszają poziom stresu!

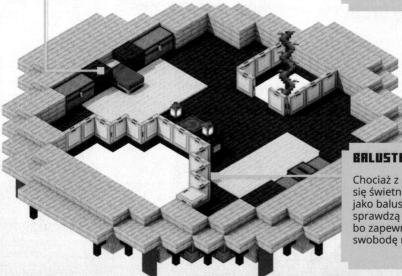

BALUSTRADA

Chociaż z płotów robi się świetne barierki, jako balustrada lepiej sprawdzą się klapy, bo zapewniają większą swobodę ruchu.

PIĘTRO

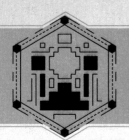

SIEDLISKO
W KORALOWEJ KOTLINIE

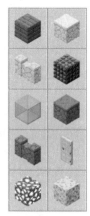

GŁÓWNE BLOKI

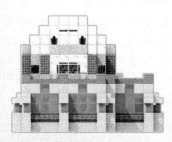

Z PRZODU

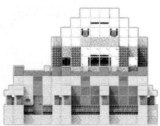

Z BOKU

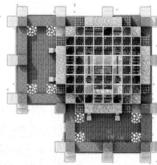

Z GÓRY

Budowanie pod wodą oznacza szereg nowych wyzwań: musisz zadbać o to, by móc oddychać pod wodą, a także usunąć z pomieszczeń wodę. Gra w trybie kreatywnym sporo ułatwia, ale zawsze dobrze jest podszlifować umiejętności. Zacznij od znalezienia barwnej rafy koralowej...

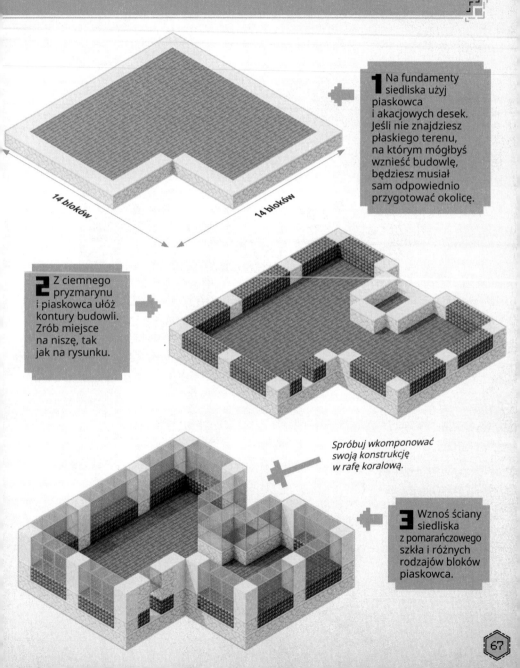

1 Na fundamenty siedliska użyj piaskowca i akacjowych desek. Jeśli nie znajdziesz płaskiego terenu, na którym mógłbyś wznieść budowlę, będziesz musiał sam odpowiednio przygotować okolicę.

14 bloków

14 bloków

2 Z ciemnego pryzmarynu i piaskowca ułóż kontury budowli. Zrób miejsce na niszę, tak jak na rysunku.

Spróbuj wkomponować swoją konstrukcję w rafę koralową.

3 Wznoś ściany siedliska z pomarańczowego szkła i różnych rodzajów bloków piaskowca.

4 Przyozdób elewację unikatowymi kolumnami ze schodów, murków, bloków i tabliczek. Osadź w wejściu żelazne drzwi i dodaj przyciski, które będą je otwierały i zamykały.

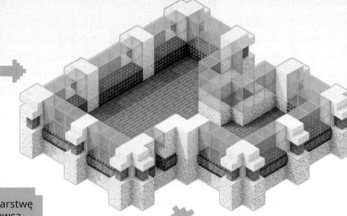

5 Dodaj jeszcze jedną warstwę ścian, używając piaskowca i pomarańczowego szkła. Następnie zacznij budować piętro z dwiema belkami.

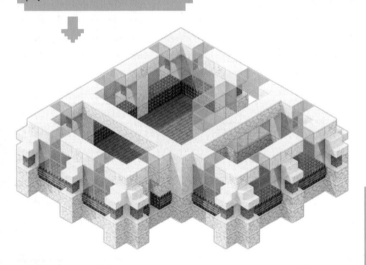

6 Uzupełnij luki w podłodze piętra półblokami akacji i jasnogłazu. Zostaw otwór na drabinę. Jasnogłaz zapewni nastrojowe światło.

DOBRA RADA

Pod wodą bywa bardzo ciemno. Aby dobrze widzieć, użyj mikstury widzenia w ciemności.

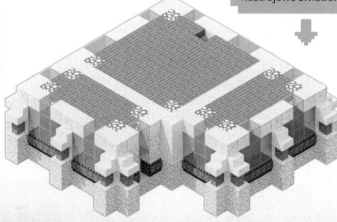

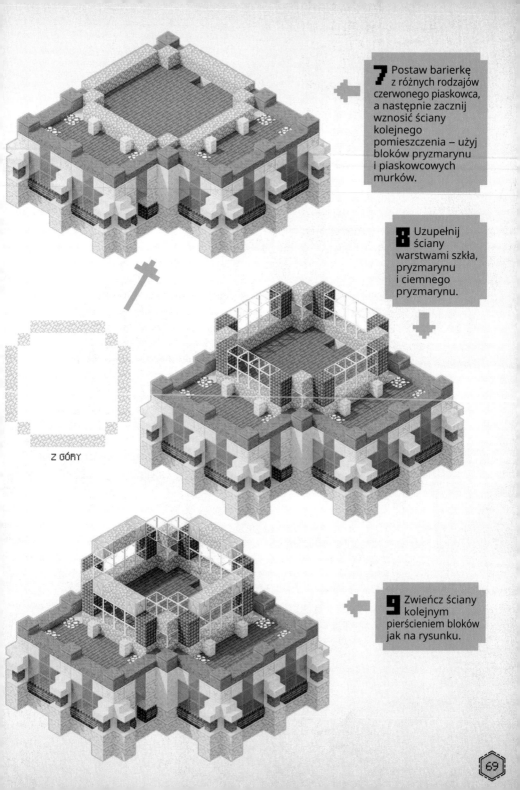

7 Postaw barierkę z różnych rodzajów czerwonego piaskowca, a następnie zacznij wznosić ściany kolejnego pomieszczenia – użyj bloków pryzmarynu i piaskowcowych murków.

8 Uzupełnij ściany warstwami szkła, pryzmarynu i ciemnego pryzmarynu.

Z GÓRY

9 Zwieńcz ściany kolejnym pierścieniem bloków jak na rysunku.

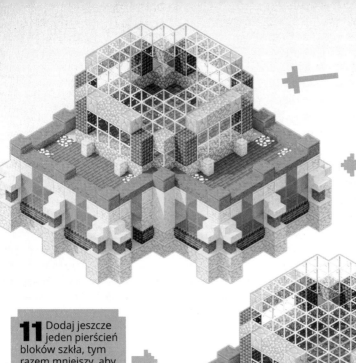

Dach ma kształt kopuły. Więcej informacji na ich temat znajdziesz na str. 40.

10 Teraz zacznij budować kopułowaty dach siedliska. Najpierw ułóż pierścień ze szklanych bloków.

11 Dodaj jeszcze jeden pierścień bloków szkła, tym razem mniejszy, aby nadać kopule kształt.

Nim zaczniesz usuwać wodę, upewnij się, że konstrukcja jest szczelna!

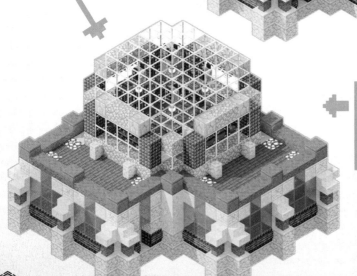

12 Zamknij kopułę, używając kolejnych bloków szkła. Na końcu usuń wodę z wnętrza, używając gąbek... i zacznij dekorować swoje dzieło!

PIĘTRO

Umieść na ścianie drabiny, aby móc wchodzić na piętro (najpierw usuń wodę z wnętrza budynku).

PARTER

OŚWIETLENIE SUFITOWE

Zawieszenie lamp na suficie to doskonały sposób na oświetlenie budowli bez marnowania cennej przestrzeni.

POMIESZCZENIA

Stwórz pomieszczenia użytkowe, umieszczając w nich odpowiednie bloki. Szare i białe dywany wyraźnie wskazują na to, że jest to kuchnia.

OKNA

Dzięki oknom będziesz mógł przed snem przyglądać się podmorskiej okolicy. Zamiast zwykłego szkła użyj barwionego, które daje nastrojowy efekt.

PIĘTRO

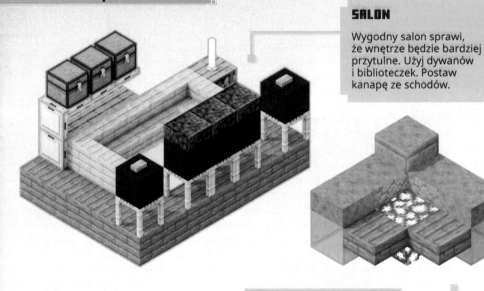

SALON

Wygodny salon sprawi, że wnętrze będzie bardziej przytulne. Użyj dywanów i biblioteczek. Postaw kanapę ze schodów.

TELEWIZOR

Znajome elementy świetnie ozdobią pomieszczenie i je dopełnią. Możesz dodawać sprzęty z własnego otoczenia, takie jak stolik pod telewizor z rusztowań, przycisków i bloków.

JASNOGŁAZ

Bloki jasnogłazu wbudowane w konstrukcję to źródło światła.

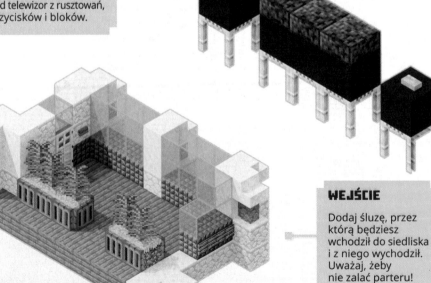

WEJŚCIE

Dodaj śluzę, przez którą będziesz wchodził do siedliska i z niego wychodził. Uważaj, żeby nie zalać parteru!

SYPIALNIA

Zasypiaj kołysany do snu przez kojący blask oceanu. Ta duża sypialnia ma okna na wszystkich ścianach, dające panoramiczny widok na morskie życie.

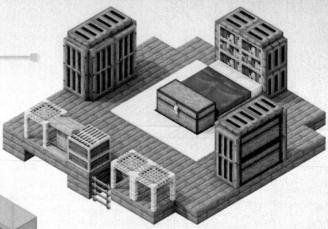

KORALOWY OGRÓD

Wypełnij tę miniaturową wnękę koralowcami i mnóstwem iskrzyłud, aby podkreślić wszystkie ich cudowne kolory.

ROŚLINY DONICZKOWE

Z tropikalnych klap, ziemi i paproci stworzysz rośliny w doniczkach. Zmieszczą się w najciaśniejszej przestrzeni.

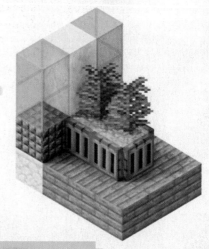

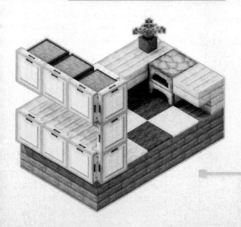

PODŁOGA

Dywany, na przykład te czarno-białe, świetnie sprawdzą się jako płytki podłogowe. Dają doskonały kontrast w dużej, otwartej przestrzeni.

RADY OD
TEAM VISIONARY

Gdy przystępujesz do budowania nowej konstrukcji, pierwszy krok to wybranie stylu. Ta budowla jest wzorowana na chińskich pagodach. Wieńczy ją spiczasty dach. „Zauważysz z pewnością, że wykorzystaliśmy mnóstwo półbloków, schodów, a nawet furtek. To niewielkie bloki, ale mogą odmienić twój budynek".

Gdy już znajdziesz swój styl, kolejnym krokiem jest dobór materiału. „Użyliśmy różnych bloków, głównie TNT, brzozowych pni i białej terakoty, aby ściany mieniły się feerią barw". Wybranie materiału na wczesnym etapie konstrukcji gwarantuje zachowanie spójności stylistyki.

Na koniec sprawdź, czy możesz wzbogacić budynek o jakieś detale. Ich symetryczne rozmieszczenie – na przykład elementów takich jak przyciski i klapy – zagwarantuje takie wykończenie, dzięki któremu konstrukcja będzie dobrze wyglądać z każdej strony.

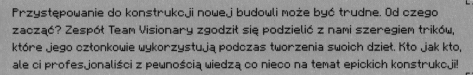

Przystępowanie do konstrukcji nowej budowli może być trudne. Od czego zacząć? Zespół Team Visionary zgodził się podzielić z nami szeregiem trików, które jego członkowie wykorzystują podczas tworzenia swoich dzieł. Kto jak kto, ale ci profesjonaliści z pewnością wiedzą co nieco na temat epickich konstrukcji!

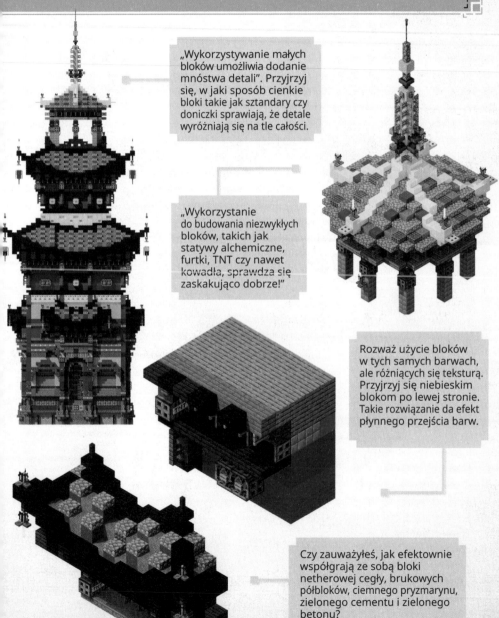

„Wykorzystywanie małych bloków umożliwia dodanie mnóstwa detali". Przyjrzyj się, w jaki sposób cienkie bloki takie jak sztandary czy doniczki sprawiają, że detale wyróżniają się na tle całości.

„Wykorzystanie do budowania niezwykłych bloków, takich jak statywy alchemiczne, furtki, TNT czy nawet kowadła, sprawdza się zaskakująco dobrze!"

Rozważ użycie bloków w tych samych barwach, ale różniących się teksturą. Przyjrzyj się niebieskim blokom po lewej stronie. Takie rozwiązanie da efekt płynnego przejścia barw.

Czy zauważyłeś, jak efektownie współgrają ze sobą bloki netherowej cegły, brukowych półbloków, ciemnego pryzmarynu, zielonego cementu i zielonego betonu?

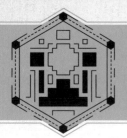

FUTURYSTYCZNY KOMPLEKS

POZIOM TRUDNOŚCI:

🕐 90 minut

GŁÓWNE BLOKI

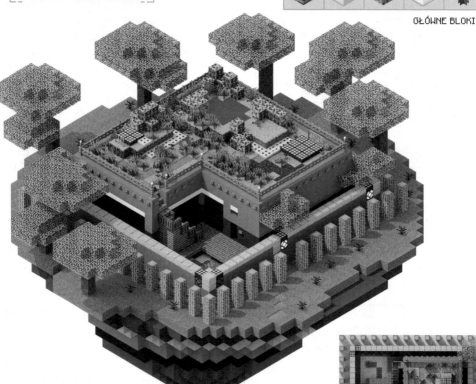

Z PRZODU

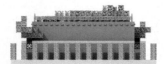

Z BOKU

Z GÓRY

Planowanie z wyprzedzeniem wyjdzie twojej budowli tylko na dobre. Wbudowanie oświetlenia w ściany pozwoli na ukrycie obwodu czerwonego kamienia, dając jednocześnie fantastyczny efekt! Tę metodę maskowania można wykorzystać do wielu różnych celów.

Aby stworzyć ścieżki, użyj na trawie łopaty.

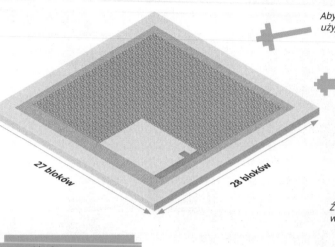

1 Zacznij od przygotowania terenu pod budynek, używając do tego trawy i piasku. Częścią tego kompleksu jest obszar obronny otaczający budynek.

27 bloków

28 bloków

Źródło wody jest wpasowane w bloki kwarcu.

2 Ułóż fundamenty futurystycznego kompleksu z tropikalnych desek, niebieskiej terakoty, bruku i kwarcu. Umieść w przyszłej łazience źródło wody.

19 bloków

20 bloków

3 Stwórz przed podstawą kompleksu patio z tropikalnych półbloków i schodów. Skierowane w dół bloki schodów dadzą efekt wyniesienia platformy nad ziemię. Ozdób to miejsce zamszonym brukiem i źródłami wody.

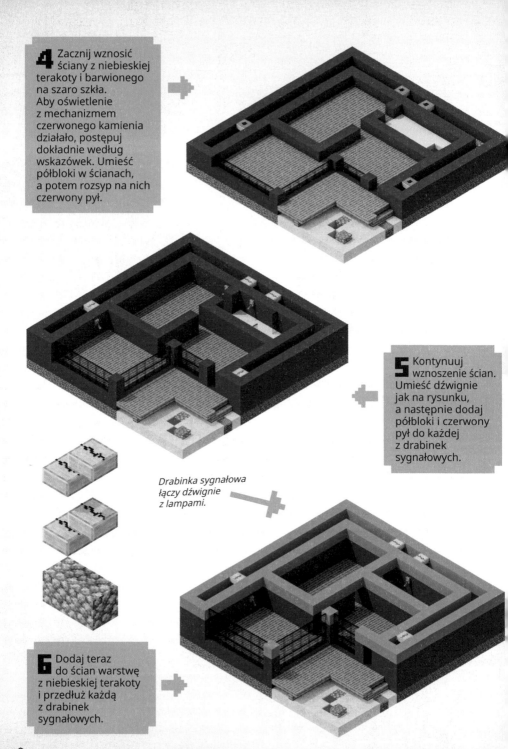

4 Zacznij wznosić ściany z niebieskiej terakoty i barwionego na szaro szkła. Aby oświetlenie z mechanizmem czerwonego kamienia działało, postępuj dokładnie według wskazówek. Umieść półbloki w ścianach, a potem rozsyp na nich czerwony pył.

5 Kontynuuj wznoszenie ścian. Umieść dźwignie jak na rysunku, a następnie dodaj półbloki i czerwony pył do każdej z drabinek sygnałowych.

Drabinka sygnałowa łączy dźwignie z lampami.

6 Dodaj teraz do ścian warstwę z niebieskiej terakoty i przedłuż każdą z drabinek sygnałowych.

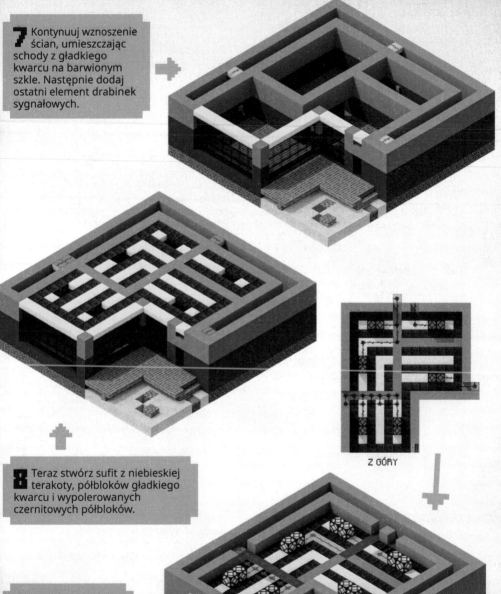

7 Kontynuuj wznoszenie ścian, umieszczając schody z gładkiego kwarcu na barwionym szkle. Następnie dodaj ostatni element drabinek sygnałowych.

Z GÓRY

8 Teraz stwórz sufit z niebieskiej terakoty, półbloków gładkiego kwarcu i wypolerowanych czernitowych półbloków.

9 Nadeszła pora na dodanie systemu oświetlenia! Ułóż kolejny pierścień z niebieskiej terakoty, a następnie rozmieść lampy i połącz je z drabinkami sygnałowymi za pomocą czerwonego pyłu.

10 Zamaskuj system oświetlenia ogrodem z trawy i bielicy. Zbuduj z tropikalnego drewna schody prowadzące na dach i stwórz ścieżkę wiodącą przez ogród.

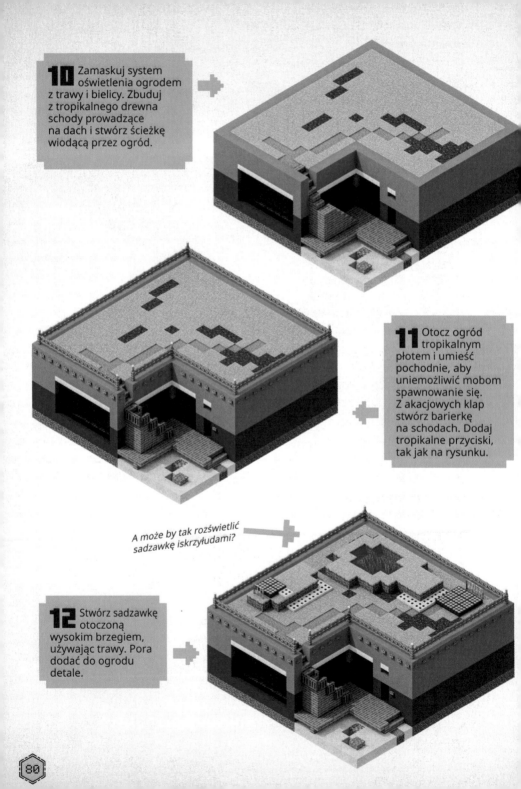

11 Otocz ogród tropikalnym płotem i umieść pochodnie, aby uniemożliwić mobom spawnowanie się. Z akacjowych klap stwórz barierkę na schodach. Dodaj tropikalne przyciski, tak jak na rysunku.

A może by tak rozświetlić sadzawkę iskrzyłudami?

12 Stwórz sadzawkę otoczoną wysokim brzegiem, używając trawy. Pora dodać do ogrodu detale.

13 Teraz zrób specjalne drzewa i umieść wokół kompleksu wysoką trawę. Posadź w ogrodzie różne rośliny.

Te drzewa są zrobione z pni akacji i liści

14 Pora na otaczający bazę obszar ochronny. Zbuduj wokół kompleksu mur z jasnoszarej terakoty i gładkich kamiennych półbloków, a następnie dodaj żelazne drzwi i przyciski obok wejścia. Oświetl bazę lampami i dodaj detektory światła dziennego.

15 Na koniec otocz budynek pierścieniem kaktusów. Rozmieszczaj je co drugi blok, tak aby intruzi nie mogli się przekraść na teren bazy.

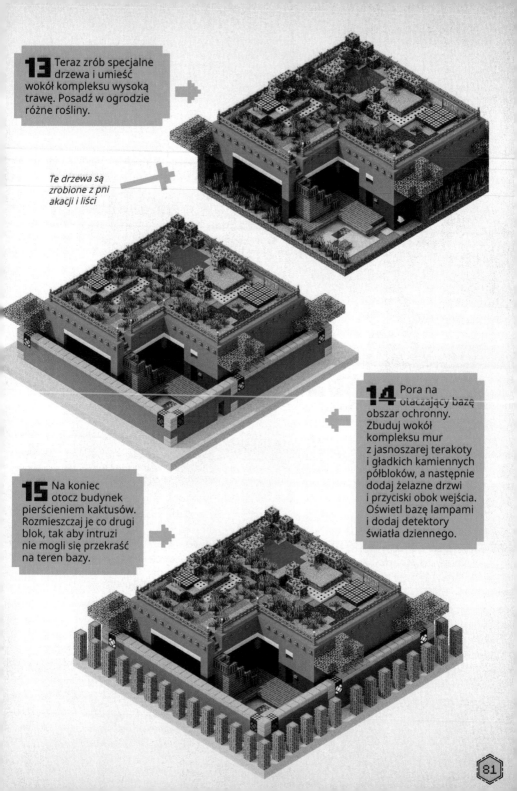

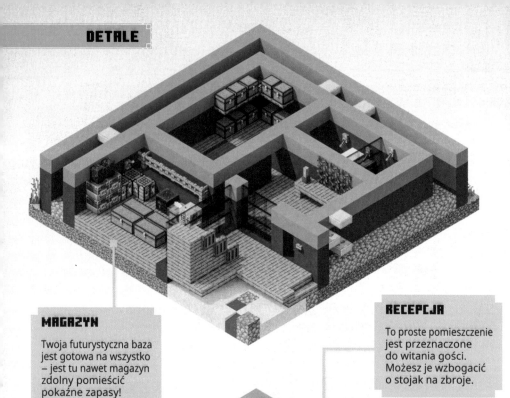

MAGAZYN

Twoja futurystyczna baza jest gotowa na wszystko – jest tu nawet magazyn zdolny pomieścić pokaźne zapasy!

RECEPCJA

To proste pomieszczenie jest przeznaczone do witania gości. Możesz je wzbogacić o stojak na zbroje.

OGRÓD NA DACHU

Te schody to szybki i prosty sposób na dotarcie do ogrodu na dachu.

UKRYTA TECHNOLOGIA

Chociaż kompleks ma nowoczesny charakter, możesz do niego dodać mnóstwo zieleni, na przykład liści.

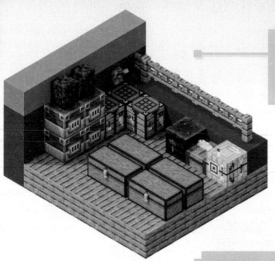

BLOKI ROBOCZE

Trzymaj najczęściej używane bloki w zasięgu ręki, tak abyś mógł szybko przygotować materiały budowlane.

WEJŚCIE

Kaktusy chroniące wejście można umieszczać tylko na piasku – zwykłym lub czerwonym.

ŁAZIENKA

Łazienki mogą być całkiem proste! Ten projekt dopełniają zlew i brodzik z wodą.

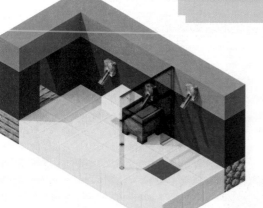

SALON

To baza mająca gwarantować przetrwanie, nie ma tu więc luksusów! Dopilnuj, aby w skrzyniach było pod dostatkiem zapasów – tak na wszelki wypadek.

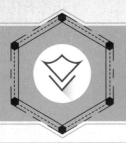

ZAINSPIRUJ SIĘ z VARUNĄ

„Podobnie jak wiele osób z naszego pokolenia pragniemy, by świat był lepszy. Jednym z poważniejszych problemów jest globalne ocieplenie, pomyśleliśmy więc, czy nie moglibyśmy tego jakoś zmienić. Postanowiliśmy zainspirować się głównym źródłem dwutlenku węgla: fabrykami".

„Silniki parowe wynaleziono na początku XIX wieku. Do połowy tego wieku używano ich jako środka w wydajnej produkcji". W tej industrialnej fabryce wykorzystano szare odcienie kamienia i bruku.

„Dziś wiemy już, że zanieczyszczenia powodowane przez fabryki mogą być zabójcze, zaprojektowaliśmy więc zaawansowany system filtrowania". System ów kieruje gazy do rur i przesyła nadmiar ciepła do pobliskich domów.

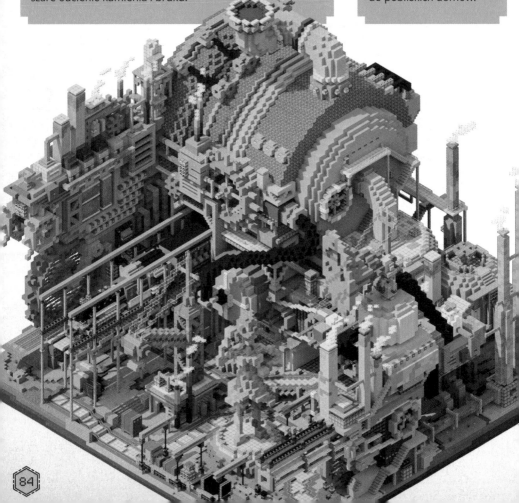

Znalezienie inspiracji do tworzenia nowych konstrukcji może być trudne. Poprosiliśmy więc zespół profesjonalnych graczy o nazwie Varuna, aby zaprezentował nam, jak przekształcić prosty pomysł w imponującą budowlę. Rzuciliśmy budowniczym wyzwanie: stworzyć budynek, który uczyniłby świat lepszym.

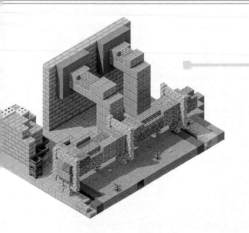

Zakłady przemysłowe takie jak ten produkują mnóstwo nadmiarowego ciepła. Po oczyszczeniu gorące gazy są kierowane podziemnymi rurami do pobliskich domów, aby je ogrzewać. Rury są chronione brukowymi ścianami, gwarantującymi, że nie dojdzie do groźnej awarii.

Ten system filtrów jest zbudowany z andezytu i bloków żelaza. Każda z komór filtruje gazy, dzięki czemu nasza planeta jest zdrowsza.

„Silniki są napędzane sprężoną parą. Jeśli dobrze się przyjrzysz, dostrzeżesz rury, którymi gorące powietrze jest wtłaczane do metalowych komór". Rury są stworzone z netherowych cegieł, które wyglądają jak pobrudzone sadzą.

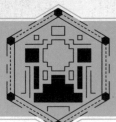

ŚREDNIOWIECZNA POSIADŁOŚĆ

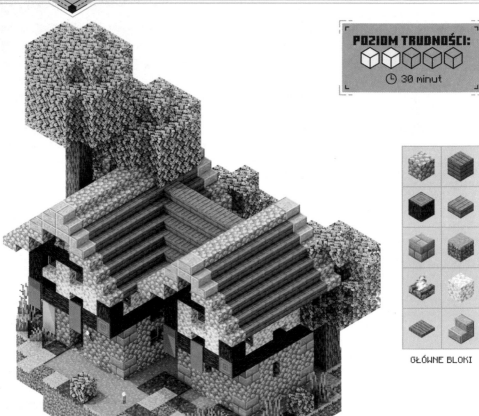

GŁÓWNE BLOKI

Z PRZODU

Z BOKU

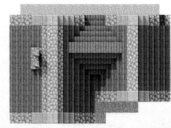

Z GÓRY

Nadeszła pora pójść krok dalej. Możesz wznosić budowle tak duże, jak tylko zechcesz — pamiętaj tylko, by trzymać się wybranej stylistyki! Zobacz teraz, jak zbudować średniowieczną posiadłość. Gdy skończysz, przekonaj się, czy zdołasz rozbudować swoje dzieło, tak by stworzyć całą osadę!

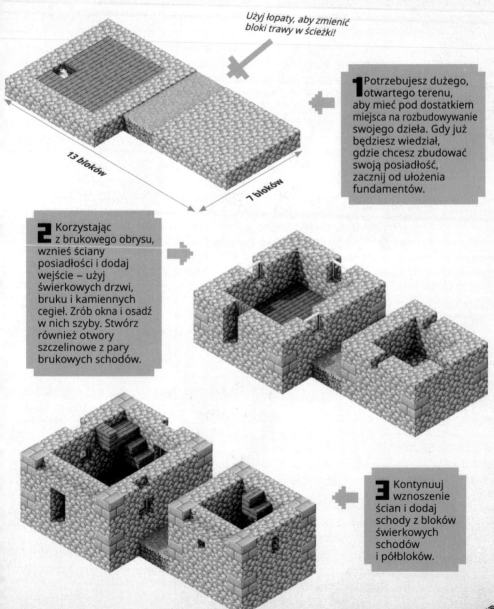

Użyj łopaty, aby zmienić bloki trawy w ścieżki!

13 bloków

7 bloków

1 Potrzebujesz dużego, otwartego terenu, aby mieć pod dostatkiem miejsca na rozbudowywanie swojego dzieła. Gdy już będziesz wiedział, gdzie chcesz zbudować swoją posiadłość, zacznij od ułożenia fundamentów.

2 Korzystając z brukowego obrysu, wznieś ściany posiadłości i dodaj wejście – użyj świerkowych drzwi, bruku i kamiennych cegieł. Zrób okna i osadź w nich szyby. Stwórz również otwory szczelinowe z pary brukowych schodów.

3 Kontynuuj wznoszenie ścian i dodaj schody z bloków świerkowych schodów i półbloków.

4 Teraz połącz dwa budynki wspólnym piętrem. Zbuduj je nad schodami, używając świerkowych półbloków, pni i bruku. Do dekoracji wykorzystaj przyciski i płoty.

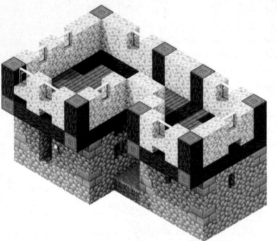

5 Podnieś ściany o dwie warstwy bloków, używając połączenia świerkowych pni i diorytu, aby uzyskać efekt muru pruskiego. Dodaj mnóstwo okien, aby wnętrza były dobrze oświetlone.

6 Teraz zacznij nadawać kształt dachowi. Użyj świerkowych pni i diorytu, aby uzyskać trójkątny zarys dwóch szczytów jak na rysunku.

Zajrzyj na str. 39, aby znaleźć więcej informacji na temat klinów.

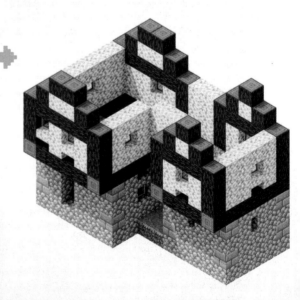

7 Wykończ dachy, używając do tego świerkowych schodów i brukowych bloków, schodów i półbloków.

8 Połącz ze sobą oba dachy, tak jak pokazano to na rysunku.

Chciałbyś dodać odrobinę koloru? Użyj sztandarów!

9 Zwieńcz spadziste dachy brukowymi i andezytowymi schodami. Dodaj też komin. Na końcu zadbaj o ożywiające całość detale w postaci przycisków, płotów i klap.

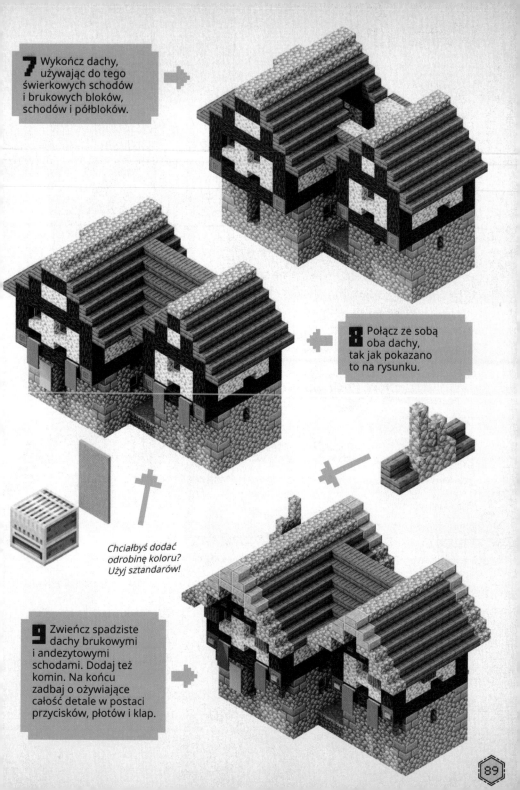

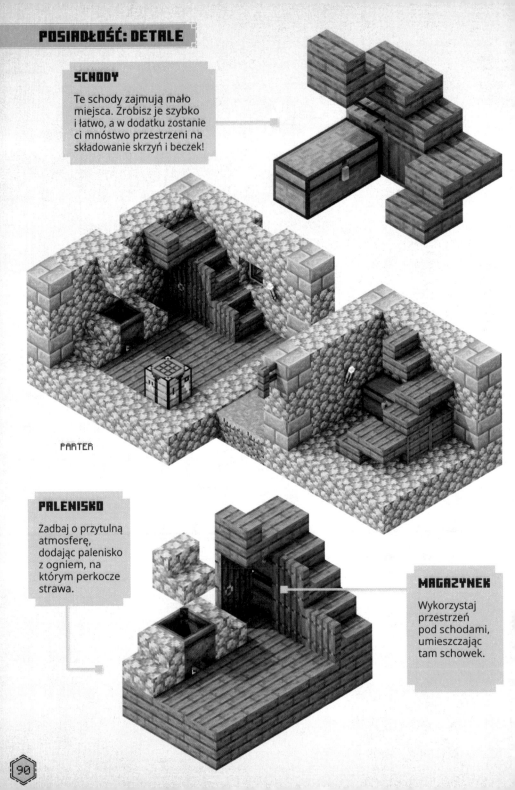

SCHODY

Te schody zajmują mało miejsca. Zrobisz je szybko i łatwo, a w dodatku zostanie ci mnóstwo przestrzeni na składowanie skrzyń i beczek!

PARTER

PALENISKO

Zadbaj o przytulną atmosferę, dodając palenisko z ogniem, na którym perkocze strawa.

MAGAZYNEK

Wykorzystaj przestrzeń pod schodami, umieszczając tam schowek.

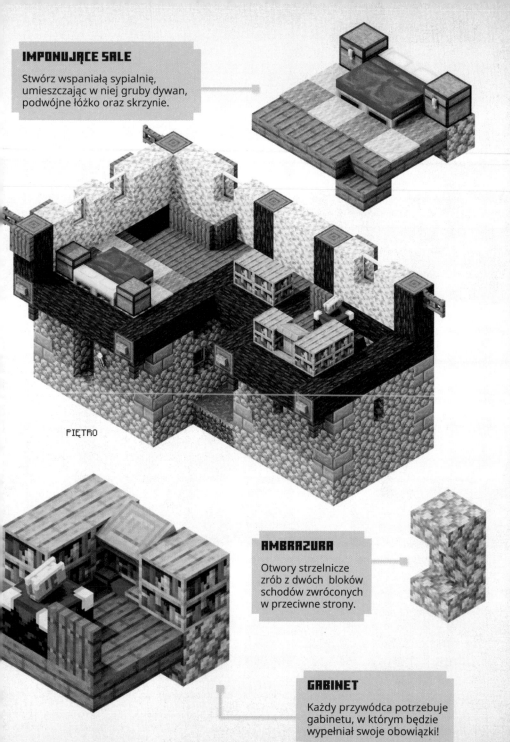

IMPONUJĄCE SALE

Stwórz wspaniałą sypialnię, umieszczając w niej gruby dywan, podwójne łóżko oraz skrzynie.

PIĘTRO

AMBRAZURA

Otwory strzelnicze zrób z dwóch bloków schodów zwróconych w przeciwne strony.

GABINET

Każdy przywódca potrzebuje gabinetu, w którym będzie wypełniał swoje obowiązki!

Gdy twoja posiadłość będzie już gotowa, rozbuduj ją, aby stworzyć średniowieczną osadę! Możesz ją wzbogacić o mnóstwo różnych konstrukcji: od wieży strażniczej i targowych straganów aż po wozy i mosty. Co zbudujesz?

STRAGAN

Targowe stragany świadczą o dobrobycie osady. Mieszkańcy mogą tu wymieniać surowce na przedmioty.

WIEŻA STRAŻNICZA

Ponieważ w pobliżu kręcą się złosadnicy, czyhający tylko na sposobność, by napaść na osadę, dobrze jest mieć oko na okolicę. Dzięki wieży strażniczej zyskasz dobry punkt widokowy!

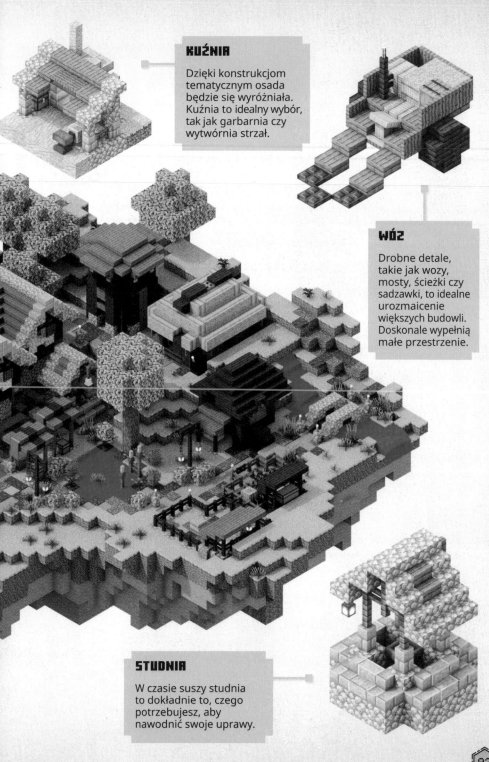

KUŹNIA

Dzięki konstrukcjom tematycznym osada będzie się wyróżniała. Kuźnia to idealny wybór, tak jak garbarnia czy wytwórnia strzał.

WÓZ

Drobne detale, takie jak wozy, mosty, ścieżki czy sadzawki, to idealne urozmaicenie większych budowli. Doskonale wypełnią małe przestrzenie.

STUDNIA

W czasie suszy studnia to dokładnie to, czego potrzebujesz, aby nawodnić swoje uprawy.

POŻEGNANIE

To by było chyba na tyle! Udało ci się dotrzeć do końca *Podręcznika kreatywności*. Mamy nadzieję, że nauczyłeś się tego i owego, a twoja głowa pełna jest nowych pomysłów i projektów, które chciałbyś zrealizować. Nim jednak wrócisz do pracy, mamy dla ciebie jeszcze jedną, ostatnią już radę... Właściwie to najważniejszą:

Nie poprzestawaj na tym, czego się dowiedziałeś z książki!

Nie ma dobrego czy złego sposobu budowania. Idzie ci świetnie dopóty, dopóki dobrze się przy tym bawisz! Specjalistyczna wiedza i wskazówki zawarte na kartach tej książki to wspaniały punkt wyjścia. Teraz zaś, gdy już skończyłeś lekturę, to od ciebie zależy, w jaki sposób przetestujesz nowo nabyte zdolności, tworząc niesamowite konstrukcje.

Nie jesteś jednak zdany tylko na siebie! Istnieje mnóstwo źródeł — dostępnych na stronie internetowej Minecrafta, w sklepie Marketplace, a także na minecraftowej Wikipedii. To nic złego rozglądać się w poszukiwaniu inspiracji. Nie zniechęcaj się, jeśli twoje konstrukcje nie dorównują tym, na których się wzorujesz — stworzenie najlepszych dzieł trwa często całe miesiące i wymaga pracy zespołów budowniczych złożonych z wielu osób. A oni też musieli przecież od czegoś zacząć!

W PORZĄDKU, DOTARLIŚMY JUŻ NIEMAL DO KOŃCA. NA CO WIĘC CZEKASZ? RZUĆ SIĘ W WIR KREATYWNEJ PRACY! NIE MOŻEMY SIĘ DOCZEKAĆ, BY ZOBACZYĆ, CO ZBUDOWAŁEŚ!

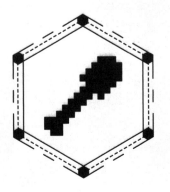